21 femmes ex

Les vies exemplaires
créatrices du XXe siè
Kusama et bien d'autres (livre de biogaphies pour les jeunes, les adolescents et les adultes)

Par Student Press Books

Table des matières

Table des matières 2

Introduction 4

Votre cadeau 6

Madonna (née en 1958) 7

Beyoncé (née en 1981) 11

Lady Gaga (née en 1986) 16

Céline Dion (née en 1968) 21

Kate Bush (née en 1958) 26

Aretha Franklin (1942-2018) 30

Margaret Bourke-White (1904-1971) 34

Dorothea Lange (1895-1965) 38

Leni Riefenstahl (1902-2003) 41

Käthe Kollwitz (1867-1945) 46

Yayoi Kusama (née en 1929) 49

Katharine Hepburn (1907-2003) 53

Louise Nevelson (1899-1988) 56

Janet Scudder (1869 - 1940) 59

Doris Lessing (1919 - 2013) 62

J. K. Rowling (née en 1965).. 65

Margaret Atwood (née en 1939).. 69

Agatha Christie (1890-1976) 73

Alexandra Danilova (1903-1997).. 76

Misty Copeland (née en 1982) 79

Joséphine Baker (1906 - 1975) 83

Livres 88

Conclusion 94

Introduction

Rencontrez des femmes artistes et créatrices du XXe siècle — biographies pour les 12 ans et plus.

Bienvenue dans la série Émancipation des femmes. Ce livre vous présente des artistes féminines du XXe siècle. Avec 21 Femmes Extraordinaires, ce livre rassemble des biographies inspirantes de femmes créatrices du monde entier.

Ce livre présente des artistes féminines du XXe siècle et partage avec vous leurs histoires de créativité, de courage et de détermination d'une manière à la fois attrayante et éducative. Les histoires de ce livre ont pour but d'inspirer et d'ouvrir de nouvelles voies pour les générations futures.

Le livre des 21 Femmes Extraordinaires n'est pas un livre de plus sur les femmes qui ont réussi. Il est inspirant, facile à lire et réunit des histoires captivantes qui ne cesseront de vous faire tourner les pages. Il met en lumière la vie de nombreuses femmes, jeunes et moins jeunes, qui ont changé leur univers et nos perspectives sur ce que signifie d'être créatif dans un XXe siècle dominé par les hommes.

Ce livre de la série Émancipation des femmes recouvre :

- Des biographies fascinantes — Découvrez des figures féminines à succès telles que des chanteuses, des photographes, des sculpteures, des écrivaines et des danseuses qui ont inspiré le monde entier. Vous retrouverez de grands noms tels qu'Aretha Franklin, Leni Riefenstahl, Yayoi Kasuma, Katherine Hepburn, Doris Lessing et bien d'autres.
- Des portraits vivants — Redonnez vie à ces femmes formidables grâce à des photos ou des illustrations attrayantes.

À propos de la série : La série **Émancipation des femmes** de Student Press Books présente des perspectives nouvelles sur l'**autonomisation des femmes** qui inviteront les jeunes lecteurs à réfléchir à leur place dans une société de plus en plus diversifiée. Qui sera votre prochaine source d'inspiration ?

21 Femmes Extraordinaires va au-delà des autres livres de biographies sur l'émancipation féminine en mettant en lumière des sujets et des

personnes du monde entier et de toutes les époques. Il fait également un excellent cadeau pour une fille, une sœur, une nièce ou une petite-fille.

Votre cadeau

Vous avez un livre dans les mains.

Ce n'est pas n'importe quel livre, c'est un livre de Student Press Books ! Nous écrivons sur les héros noirs, les femmes qui prennent le pouvoir, la mythologie, la philosophie, l'histoire et d'autres sujets intéressants !

Puisque vous avez acheté un livre, nous voulons que vous en ayez un autre gratuitement.

Tout ce dont vous avez besoin, c'est d'une adresse électronique et de la possibilité de vous abonner à notre newsletter (ce qui signifie que vous pouvez vous désabonner à tout moment).

Alors, qu'attendez-vous ? Inscrivez-vous dès aujourd'hui et recevez votre livre gratuit instantanément ! Tout ce que vous avez à faire est de visiter le lien ci-dessous et d'entrer votre adresse e-mail. Vous recevrez immédiatement le lien pour télécharger la version PDF du livre afin de pouvoir le lire hors ligne à tout moment.

Et ne vous inquiétez pas, il n'y a pas d'attrape ou de frais cachés, juste un bon vieux cadeau de notre part ici à Student Press Books.

Visitez ce lien dès maintenant et inscrivez-vous pour recevoir votre exemplaire gratuit de l'un de nos livres !

Lien : https://campsite.bio/studentpressbooks

Madonna (née en 1958)

Chanteuse américaine surnommée la "reine de la pop".

"Beaucoup de gens ont peur de dire ce qu'ils veulent. C'est pourquoi ils n'obtiennent pas ce qu'ils veulent."

Avec ses chansons mélodiques et dansantes et ses clips mémorables, Madonna est devenue une sensation pop mondiale dans les années 1980. Elle a continué à enregistrer et à tourner régulièrement pendant plus de trois décennies, attirant l'attention autant pour son image sexy que pour sa musique. Son immense popularité lui a permis d'atteindre des niveaux de pouvoir et de contrôle sans précédent pour une femme dans l'industrie du divertissement.

Madonna Louise Ciccone est née le 16 août 1958 à Bay City, dans le Michigan. Elle a étudié la danse à l'Université du Michigan et s'est produite dans l'Alvin Ailey American Dance Theater à New York avant de travailler dans une revue disco à Paris en 1979.

De retour à New York, elle se produit avec plusieurs groupes de rock avant de sortir son premier album, Madonna, en 1983. Il produit les singles à succès "Holiday", "Borderline" et "Lucky Star".

Madonna est devenue une superstar avec la sortie de son deuxième album, Like a Virgin, en 1984. L'album est classé numéro un et produit quatre singles à succès. L'ascension de Madonna a autant à voir avec son utilisation habile des clips musicaux qu'avec les chansons elles-mêmes.

Madonna a travaillé avec des designers, des photographes et des réalisateurs de premier plan pour créer des images mémorables dans ses vidéos, notamment l'innocence savante qu'elle incarne dans "Like a Virgin" et la silhouette de Marilyn Monroe dans "Material Girl".

Les albums True Blue (1986), avec le single "Papa Don't Preach", et Like a Prayer (1989) ont également atteint la première place tout en recevant des critiques positives. La vidéo de la chanson "Like a Prayer" a attiré l'attention pour ses images religieuses controversées. En 1990, Madonna entame sa tournée mondiale Blond Ambition et sort les singles "Vogue" et "Justify My Love", qui sont classés numéro un.

En 1991, Madonna avait enregistré 21 tubes dans le Top 10 aux États-Unis et vendu quelque 70 millions d'albums dans le monde. Désireuse de contrôler sa propre carrière, elle passe un accord avec Time-Warner pour diriger sa propre filiale d'enregistrement, baptisée Maverick.

Entre-temps, Madonna a également poursuivi une carrière d'actrice. Son premier rôle principal est une solide performance dans le film Desperately Seeking Susan (1985). Sa carrière cinématographique s'essouffle avec Shanghai Surprise (1986) et Who's That Girl (1987), mais se redresse avec Truth or Dare, un documentaire sur la tournée Blonde Ambition. Son rôle principal dans le film musical Evita (1996) lui vaut un Golden Globe Award.

Madonna a également joué à Broadway dans la pièce de David Mamet, Speed-the-Plow (1988).

En 1998, Madonna a sorti son premier album de nouveaux titres en quatre ans, Ray of Light, qui était une expérience de musique techno. C'est un succès commercial et critique, qui vaut à Madonna ses premières récompenses aux Grammy Awards pour sa musique (sa précédente victoire était pour une vidéo). Son incursion dans l'électronique se poursuit avec Music (2000).

En 2005, Madonna revient à ses racines avec Confessions on a Dance Floor. Hard Candy (2008) est un album imprégné de hip-hop dont l'écriture et le travail vocal et de production sont assurés par Justin Timberlake, Timbaland et Pharrell Williams. L'album MDNA (2012) contient des apparitions des rappeuses M.I.A. et Nicki Minaj. Madonna a été intronisée au Rock and Roll Hall of Fame en 2008.

Madonna a été brièvement mariée à l'acteur Sean Penn dans les années 1980 et a épousé le réalisateur anglais Guy Ritchie en 2000. Madonna et Ritchie ont divorcé en 2008.

Points forts

- Le premier succès de Madonna, "Holiday", en 1983, a fourni le modèle de ce qu'elle a fait par la suite : un son dance club optimiste, une production pointue et un attrait immédiat.
- Elle a été la première artiste féminine à exploiter pleinement le potentiel du vidéoclip.
- Fusion de musique techno et de textes conscients de soi, il a été un succès commercial et critique, et a valu à la chanteuse ses premiers Grammy Awards musicaux, dont celui du meilleur album pop (son précédent prix avait été attribué à une vidéo).
- Madonna a été intronisée au Rock and Roll Hall of Fame en 2008.

Questions de recherche

---

1. Quelles sont les chanteuses que vous écoutez ? Quelle est votre chanteuse préférée ?
2. Si quelqu'un vous demandait de lui recommander une chanson, quelle serait-elle ? (Cela peut être n'importe quel artiste d'aujourd'hui)
3. Pensez-vous qu'il y a suffisamment de femmes artistes dans l'industrie musicale aujourd'hui ?

Beyoncé (née en 1981)

Auteur-compositeur-interprète et actrice américaine, récompensée par plusieurs Grammy Awards.

"Si tout était parfait, on n'apprendrait jamais, et on ne grandirait jamais."

L'auteure-compositrice-interprète et actrice américaine Beyoncé est devenue célèbre à la fin des années 1990 en tant que chanteuse principale du groupe R&B Destiny's Child. Elle s'est ensuite lancée avec succès dans une carrière solo.

Beyoncé Giselle Knowles est née le 4 septembre 1981 à Houston, au Texas. À l'âge de neuf ans, elle forme avec des amies d'enfance le groupe de filles Destiny's Child (initialement appelé Girl's Tyme) en 1990.

En 1992, le groupe a perdu au concours de talent télévisé Star Search. Trois ans plus tard, Destiny's Child se voit retirer un contrat d'enregistrement avant la sortie d'un album. En 1997, cependant, le groupe obtient un contrat d'enregistrement avec Columbia et sort son premier album, Destiny's Child.

Il a donné lieu à trois singles à succès, dont le tube "No, No, No Part 2" qui s'est classé dans le Top 10. L'album suivant, The Writing's on the Wall (1999), a valu au groupe deux Grammy Awards et s'est vendu à plus de huit millions d'exemplaires aux États-Unis.

En 2000, Destiny's Child est passé du statut de quatuor à celui de trio. Ils enregistrent "Independent Women, Pt. 1", qui devient la chanson thème de la version cinématographique de Charlie's Angels. Sorti en octobre, le single passe 11 semaines à la première place et est inclus dans le troisième album du groupe, Survivor (2001). L'album se hisse également à la première place du classement Billboard 200.

Les fonctions de Beyoncé dans Destiny's Child vont au-delà du rôle de chanteuse principale, puisqu'elle commence à écrire et à produire. Elle a participé à l'écriture de chansons à succès pour le groupe, notamment "Bootylicious" et "Independent Women". Finalement, le groupe s'est séparé pour poursuivre des projets individuels.

Beyoncé a utilisé ses talents de compositrice pour coécrire son premier album solo, Dangerously in Love (2003). L'album a fait l'objet de critiques élogieuses et s'est retrouvé en tête des classements. En 2004, Beyoncé a remporté cinq Grammy Awards, dont ceux du meilleur album R&B contemporain et de la meilleure performance vocale R&B féminine.

Les Destiny's Child se sont réunies en 2004 pour sortir un quatrième album studio, Destiny Fulfilled. L'album s'est vendu à plus de sept millions d'exemplaires dans le monde et a donné naissance à plusieurs singles à succès. Le trio s'est embarqué dans une tournée mondiale en 2005, au cours de laquelle ils ont annoncé que le groupe allait officiellement se dissoudre. La même année, ils ont sorti leur dernier album, #1's, une collection de chansons connues et de tubes numéro un.

En 2006, Beyoncé a sorti son deuxième album studio solo, B'Day. Le premier single de l'album, " Déjà Vu ", a été numéro un des ventes. En 2008, elle a épousé le rappeur Jay-Z, et cette union a fait d'eux l'un des couples les mieux rémunérés de l'industrie du divertissement. La même année, Beyoncé sort le double album I Am...Sasha Fierce. I Am est une collection de ballades introspectives, et Sasha Fierce contient des morceaux de danse familiers à la plupart de ses fans. L'album a généré cinq singles figurant au Top 20 du Billboard, dont le numéro un "Single Ladies (Put a Ring on It)".

Aux Grammy Awards 2010, Beyoncé a remporté six prix, dont celui de la chanson de l'année, de la meilleure performance vocale pop féminine et du meilleur album R&B contemporain. Il s'agit du plus grand nombre de Grammys récoltés par une artiste féminine en une seule soirée. Quelques jours après avoir été la tête d'affiche du festival Glastonbury en Angleterre, Beyoncé a sorti 4 (2011), un mélange de ballades et de morceaux de danse.

En janvier 2013, les Destiny's Child se sont réunis pour une apparition à la mi-temps du Super Bowl. Le mois suivant, Beyoncé a récolté un Grammy Award pour le single "Love on Top". Elle est revenue plus tard dans l'année avec l'album Beyoncé. L'album compte des producteurs de renom et des apparitions, entre autres, de l'auteur nigérian Chimamanda Ngozi Adichie et de la petite fille de la chanteuse, Blue Ivy. Le disque a d'abord été proposé exclusivement sur iTunes. Il a été présenté comme un "album visuel", avec des vidéos musicales réalisées pour accompagner chaque titre. Le single "Drunk in Love", dans lequel figure Jay Z (qui a supprimé le trait d'union de son nom), a été récompensé par plusieurs Grammys, dont celui de la meilleure chanson R&B.

Beyoncé s'est concentrée sur les thèmes de la trahison et de la persévérance dans l'album musicalement varié Lemonade (2016). Conçu comme un autre album visuel, il a débuté sous la forme d'une émission spéciale de la chaîne de télévision HBO. Lemonade a été le sixième album de Beyoncé à figurer en tête du classement du Billboard 200. Lemonade a attiré un accueil considérable, et il a rapporté à Beyoncé deux Grammys, dont un prix du meilleur clip vidéo pour la chanson "Formation".

En 2018, Beyoncé et JAY-Z (ayant mis les lettres en majuscules et rétabli le trait d'union dans son nom) sortent un album en collaboration, Everything Is Love. Le couple a par la suite remporté un Grammy pour le meilleur album urbain contemporain.

En 2001, Beyoncé a fait ses débuts d'actrice dans le téléfilm Carmen : A Hip Hopera, qui a été diffusé sur MTV. Son rôle de Foxxy Cleopatra dans Austin Powers in Goldmember (2002) a fait d'elle une star du cinéma. Cette performance lui a permis de jouer dans les films The Fighting Temptations (2003) et The Pink Panther (2006).

En 2006, Beyoncé a obtenu le rôle de Deena Jones dans Dreamgirls, l'adaptation cinématographique de la comédie musicale de Broadway de 1981 sur un groupe de chanteurs des années 1960. La performance de Beyoncé a été nominée pour un Golden Globe, et sa chanson "Listen" a été nominée pour un Academy Award. Elle a ensuite joué dans le film Cadillac Records (2008), dans lequel elle incarne la chanteuse Etta James, et dans le thriller Obsessed (2009).

Dans le film d'animation Epic (2013), Beyoncé a fourni la voix d'une reine des forêts féerique. Son documentaire Homecoming (2019), un film de concert détaillant son apparition au festival de la vallée de Coachella en 2018 en Californie, a remporté un Grammy du meilleur film musical. Beyoncé était la scénariste, la réalisatrice et la productrice exécutive du film.

Beyoncé a incarné un personnage dans le remake de 2019 du Roi Lion de Disney et a interprété plusieurs chansons sur la bande-son. La même année, elle sort un album inspiré du film, The Lion King : The Gift. Des chansons de ce disque ont ensuite été intégrées à l'album visuel Black Is King (2020), diffusé sur le service de streaming Disney+.

Pour le single "Black Parade", Beyoncé a remporté le Grammy 2020 de la meilleure performance R&B. Au début de l'année 2021, Beyoncé totalise 28 Grammys, soit le plus grand nombre de trophées remportés par une artiste féminine à ce jour.

Points forts

- Quelques jours après une performance triomphale en tête d'affiche du festival Glastonbury en Angleterre, Beyoncé a publié 4 (2011), un mélange de ballades et de morceaux de danse qui évoque des influences allant des chansons torches de l'ère Motown aux collages audio de la rappeuse M.I.A. Début 2013, les Destiny's Child se sont réunies pour une apparition à la mi-temps du Super Bowl et ont publié une nouvelle chanson, "Nuclear".
- Peu après, Beyoncé a reçu un Grammy pour son single "Love on Top".
- Le single "Drunk in Love", avec Jay-Z, a été récompensé par plusieurs Grammys, dont celui de la meilleure chanson R&B.

Questions de recherche

---

1. Pourquoi n'y a-t-il pas assez de livres sur les différents types de personnes talentueuses issues de la vie universitaire, comme vous-même ou Beyonce ?
2. Que pensez-vous du puissant discours de Beyoncé lors de la #womensmarch ?
3. En repensant à notre jeunesse, quelle est l'histoire dont vous vous souvenez toujours à propos d'une femme forte dans votre vie ?

Lady Gaga (née en 1986)

Chanteuse, auteure-compositrice et actrice américaine, lauréate de onze Grammy Awards.

"Battez-vous et poussez plus fort pour ce en quoi vous croyez, vous seriez surpris, vous êtes beaucoup plus fort que vous ne le pensez."

Lady Gaga, auteure-compositrice-interprète et artiste de scène américaine, est connue pour ses costumes flamboyants et ses paroles sexy. Gaga a connu un succès populaire avec des chansons telles que "Just Dance", "Poker Face", "Bad Romance" et "Shallow".

Stefani Joanne Angelina Germanotta est née le 28 mars 1986 à New York, New York. Elle apprend la musique dès son plus jeune âge et se produit sur scène dans les clubs de la ville de New York dès son adolescence.

Lady Gaga a étudié pendant deux ans à la Tisch School of the Arts de l'université de New York avant d'abandonner ses études pour gérer sa propre carrière. Gaga a commencé à se transformer en Lady Gaga - un nom dérivé de la chanson "Radio Ga Ga" de Queen - avec un style qui combine le glam rock et la mode extravagante.

En 2007, Lady Gaga et l'artiste Lady Starlight ont formé une revue appelée Ultimate Pop Burlesque Rockshow. Pendant cette période, Lady Gaga a également écrit des chansons pour d'autres artistes pop tels que Fergie, les Pussycat Dolls et Britney Spears. La même année, le rappeur Akon et Interscope Records signent un contrat avec Lady Gaga. Lady Gaga a ensuite commencé à préparer son premier album The Fame (2008).

Lady Gaga s'est inspirée d'artistes théâtraux tels que David Bowie pendant sa période Ziggy Stardust, les New York Dolls et Freddie Mercury du groupe Queen. Cependant, elle a créé un personnage qui a fini par occuper un espace unique dans le monde de la musique.

Lady Gaga portait des costumes extravagants et des perruques accrocheuses, dont beaucoup avaient été créées par sa propre Haus of Gaga. Combinée à sa musique de danse synthétique au rythme effréné et à son style de performance audacieux, elle a créé des sons et des images scéniques époustouflants.

Le single de 2008 de Lady Gaga "Just Dance" (extrait de The Fame) lui a valu une nomination aux Grammy Awards en 2009. Cependant, elle n'a pas pu être nommée en 2010 en tant que meilleure nouvelle artiste. (Cette injustice perçue a incité la Recording Academy à réviser cette règle plus tard en 2010). Trois autres singles de The Fame - "Poker Face", "LoveGame" et "Paparazzi" - ont également atteint la première place. Aux Grammy Awards 2010, Lady Gaga a remporté les prix du meilleur enregistrement de danse ("Poker Face") et du meilleur album électronique/danse.

À la fin de l'année 2009, Lady Gaga a entamé la tournée Monster Ball Tour, qui s'est déroulée à guichets fermés, pour coïncider avec la sortie de son deuxième album, The Fame Monster. Bien que l'album ne contienne que huit chansons, trois d'entre elles - "Bad Romance", "Telephone" et "Alejandro" - sont devenues des succès en 2010. (L'album a remporté un Grammy Award en 2011 pour le meilleur album pop vocal, tandis que

"Bad Romance" a remporté un Grammy pour la meilleure voix pop féminine et la meilleure vidéo musicale de forme courte).

Pour consolider sa position d'artiste à succès commercial en 2010, Lady Gaga s'est produite en tête d'affiche du festival de musique Lollapalooza à Chicago, dans l'Illinois, et a fait une apparition devant 20 000 personnes pour l'émission Today de NBC.

Le troisième album de Lady Gaga, Born This Way, est paru en 2011. Il a produit les chansons à succès "Born This Way" et "Judas". En 2013, Lady Gaga a sorti Artpop. L'énergique single principal "Applause" a prolongé sa série de succès dans les charts. Cependant, l'album a été commercialement décevant.

Lady Gaga est revenue l'année suivante avec Cheek to Cheek, une collection de chansons qu'elle a enregistrées avec Tony Bennett. L'enregistrement est arrivé en tête des classements des albums de jazz et de jazz traditionnel, et il a remporté le Grammy du meilleur album vocal pop traditionnel. En 2016, Lady Gaga a sorti l'album Joanne. Une collection diversifiée de chansons, il comprenait des touches de country, de rock, de danse et de pop.

Lady Gaga a remporté un Grammy en 2019 pour la meilleure performance pop pour la chanson "Joanne (Where Do You Think You're Goin' ?)". Parallèlement, en 2017, elle a participé au spectacle de la mi-temps du Super Bowl. Pour son sixième album studio, Chromatica (2020), Lady Gaga revient à sa musique antérieure, mêlant disco et pop électronique. Elle et Ariana Grande ont remporté le Grammy Award 2020 de la meilleure performance en duo/groupe pop pour la chanson "Rain on Me".

En plus d'enregistrer de la musique, Lady Gaga fait des apparitions occasionnelles en tant qu'actrice. Elle est apparue dans les films Machete Kills (2013) et Sin City : A Dame to Kill For (2014). Elle a ensuite joué un vampire dans la série télévisée American Horror Story : Hotel (2015-16). Pour cette performance, elle a reçu un Golden Globe Award.

Lady Gaga est également apparue dans la sixième saison de l'émission, diffusée en 2016. En 2018, Lady Gaga a joué un auteur-compositeur-interprète prometteur dans un remake du film Une étoile est née. C'était son premier rôle principal, et elle a obtenu une nomination à l'Oscar de la meilleure actrice pour sa performance. Elle a également coécrit la plupart des chansons du film, dont beaucoup ont été interprétées avec son partenaire et réalisateur Bradley Cooper. En 2019, le single principal, "Shallow", a remporté les Grammy Awards de la meilleure performance en duo/groupe pop et de la meilleure chanson écrite pour un média visuel, ainsi que l'Oscar de la meilleure chanson originale.

Lady Gaga a cultivé un public dévoué, en particulier parmi les hommes homosexuels. Elle s'est particulièrement engagée en faveur des droits des homosexuels, et notamment du mariage homosexuel.

Lady Gaga a été l'une des oratrices vedettes de la marche nationale pour l'égalité de 2009 à Washington, D.C. En 2021, elle a chanté l'hymne national lors de l'investiture de Joe Biden à la présidence des États-Unis.

Points forts

- Lady Gaga, de son vrai nom Stefani Joanne Angelina Germanotta, est née dans une famille italo-américaine à New York.
- Son deuxième album, The Fame Monster, est sorti en novembre 2009 (il était à l'origine conçu comme un disque bonus) et a produit presque instantanément un autre tube, "Bad Romance".
- Dans son troisième album, Born This Way (2011), Lady Gaga a puisé son inspiration dans des époques musicales antérieures.
- En plus d'enregistrer de la musique, Lady Gaga fait des apparitions occasionnelles au cinéma, notamment dans Machete Kills (2013) et Sin City : A Dame to Kill For (2014). Pour sa performance dans la série d'anthologie, Lady Gaga a reçu un Golden Globe Award.
- Lady Gaga a récolté les éloges de la critique et une nomination aux Oscars pour son premier rôle principal, celui d'une chanteuse-compositrice sans gêne dans le remake du film A Star Is Born en 2018.

Questions de recherche

---

1. Que pensez-vous de la voix de Lady Gaga ?

2. Quelles ont été ses principales influences en ce qui concerne son style vocal et ses performances pendant les concerts, ainsi que ce qui l'a influencée au moment de la sortie de leur premier album ?
3. Si vous pouviez faire un voyage en voiture avec une artiste féminine, qui serait-ce et pourquoi ?

Céline Dion (née en 1968)

Chanteur canadien et l'un des artistes les plus vendus de tous les temps

"C'est au moment où tu penses que tu ne peux pas, que tu peux".

Après s'être hissée au sommet des palmarès dans son Canada natal en tant qu'adolescente francophone à succès, Céline Dion a captivé le public anglophone pour devenir une superstar internationale. Elle a obtenu des récompenses de l'industrie musicale du monde entier, notamment des Grammy et des Academy Awards aux États-Unis, des Juno et des Felix au Canada, et des World Music Awards en Europe. Dion a vendu des disques multiplatines, donné des concerts à guichets fermés et fait des apparitions à la télévision et des vidéos en anglais et en français.

Céline Marie Claudette Dion est née le 30 mars 1968 à Charlemagne, au Québec, au Canada. Benjamine d'une famille de 14 enfants, elle grandit dans un foyer très uni, entouré de musique. Son père jouait de l'accordéon et sa mère du violon. La famille passe souvent du temps à jouer de la musique et à chanter ensemble.

À l'âge de 5 ans, Céline Dion avait déjà démontré une voix remarquable. Elle a donné ses premières représentations publiques dans le piano-bar et le restaurant de ses parents, où elle chantait les chansons de la star québécoise du disque Ginette Reno.

Lorsque Céline Dion a eu 12 ans, sa famille l'a aidée à préparer une bande démo qu'ils ont envoyée à René Angélil, un agent bien connu de Montréal. Dès qu'il a entendu sa voix, il a été conquis. Angélil a pris le contrôle total de la carrière de la jeune chanteuse et était tellement déterminé à faire d'elle une star qu'il a réhypothéqué sa maison pour produire son premier album. Le couple se marie en 1994.

La carrière de Céline Dion évolue rapidement. Elle reçoit la médaille d'or du Festival mondial de la chanson de Yamaha à Tokyo, au Japon, en 1982 et quitte l'école pour se consacrer à plein temps à la musique. Au cours des quatre années suivantes, elle enregistre une série d'albums francophones à succès. Avec son single "D'Amour ou d'Amitié" (1983), elle devient la première Canadienne à obtenir un disque d'or en France.

Au cours des années 1980, Céline Dion a enregistré au Canada quatre albums de platine en français. En tant que gagnante du concours Eurovision de la chanson qui s'est tenu à Dublin, en Irlande, en 1988, Dion s'est produite en direct devant un public de 600 millions de téléspectateurs.

Le prochain défi de Céline Dion était de passer de la sensation pop adolescente à la superstar adulte et de conquérir le marché pop anglophone. Sur les conseils de son manager, Céline Dion prend une année sabbatique pour peaufiner son image et apprendre l'anglais. Une nouvelle Dion, sophistiquée, réapparaît et lance rapidement son premier album en anglais, Unison (1990).

Bien que critiqué pour son manque de passion et de profondeur par rapport à ses enregistrements en français, l'album a été certifié or aux États-Unis, tandis que son deuxième album en anglais, Celine Dion (1992), a été certifié platine. Entre-temps, elle a connu deux succès dans les palmarès américains : "Beauty and the Beast" (1992), enregistré avec

Peabo Bryson et tiré du film d'animation de Disney du même nom, qui a remporté un Academy Award ainsi qu'un Grammy Award, et "When I Fall in Love", une collaboration de Dion avec Clive Griffin, tirée du film à succès Sleepless in Seattle (1993).

Dion s'est efforcée de conserver son public francophone tout en grimpant dans les classements pop aux États-Unis et en Grande-Bretagne. Son album Dion Chante Plamondon (1991) est devenu l'album francophone le plus vendu au Canada et, sous le titre Des mots qui sonnent, a été un best-seller en France.

Céline Dion a ensuite sorti Céline Dion à l'Olympia (1994) et D'eux (1995) pour ses fans français, ce dernier devenant l'album français le plus vendu de tous les temps.

L'album anglais suivant de Céline Dion, The Colour of My Love (1993), et son single à succès "Think Twice" ont marqué l'histoire de la musique lorsque Dion est devenue la première artiste depuis les Beatles à occuper simultanément la première place du classement des albums et des singles au Royaume-Uni.

L'album suivant de Céline Dion, Falling into You (1996), comprend ses reprises (interprétations de chansons d'autres artistes) de "(You Make Me Feel Like) A Natural Woman" et "All By Myself" ainsi que "Because You Loved Me" - le thème du long métrage Up Close and Personal (1996). L'album, qui s'est vendu à plusieurs reprises dans le monde, a permis à Dion de remporter un autre Grammy Award et de remporter les Juno Awards.

Mais sa plus grande renommée lui vient peut-être de son enregistrement de "My Heart Will Go On", la chanson thème du film Titanic (1997). Cette chanson a remporté un oscar, s'est hissée en tête des hit-parades dans de nombreux pays et a contribué à propulser les ventes de son album Let's Talk About Love (1997) - qui comprenait également des duos avec Barbra Streisand et Luciano Pavarotti - à des dizaines de millions d'exemplaires.

Au début du 21ème siècle, Céline Dion a fait une pause dans sa carrière pour se concentrer sur sa famille. Elle est revenue avec les albums A New Day Has Come (2002) et One Heart (2003), qui comprenaient de la musique dance pop en plus de son répertoire adulte contemporain habituel.

Bien que les sorties aient été un succès commercial selon la plupart des normes, leurs ventes n'ont pas atteint les sommets précédents de Céline Dion. En 2003, Dion a commencé à donner un spectacle en direct à Las Vegas, Nevada, qui a duré plus de quatre ans, et elle a lancé une deuxième résidence à Las Vegas en 2011. Les derniers enregistrements de Céline Dion comprennent les albums anglophones Miracle (2004) et Taking Chances (2007) et les albums francophones 1 fille & 4 types (2003), D'elles (2007) et Sans attendre (2012).

Céline Dion a reçu de nombreux honneurs au cours de sa carrière, notamment celui d'être nommée Compagnon de l'Ordre du Canada en 2008. Un mémoire, Ma vie, mon rêve, écrit avec Georges-Hébert Germain, a été publié en 2000.

Points forts

- Céline Dion, de son vrai nom Céline Marie Claudette Dion, est la plus jeune d'une famille de 14 enfants qui a grandi dans une petite ville près de Montréal. Elle a commencé à chanter avec sa famille quand elle avait cinq ans.
- Elle a enregistré de nombreux albums à succès en français et en anglais et a reçu plusieurs prix prestigieux.
- Au début du XXIe siècle, Dion a mis sa carrière en veilleuse pour se consacrer à sa famille.
- Elle revient avec les albums A New Day Has Come (2002) et One Heart (2003), qui flirtent avec la dance pop en plus de son habituel répertoire adulte contemporain.
- Bien que Dion ne soit plus la force culturelle dominante qu'elle avait été dix ans plus tôt, il a été signalé en 2007 que les ventes mondiales de ses albums avaient dépassé les 200 millions.

Questions de recherche

---

1. En dehors de la voix, quelles sont les autres qualités qui font que cet artiste se distingue à vos yeux ?
2. Selon vous, qui sont les chanteuses les plus emblématiques de l'histoire ?
3. Si vous ne pouviez choisir qu'un seul artiste à écouter pour le reste de votre vie, qui serait-ce ?

Kate Bush (née en 1958)

Chanteur, musicien, auteur-compositeur-interprète et producteur britannique

"Mozart n'avait pas de Pro Tools, mais il a fait un assez bon travail."

Chanteuse et compositrice anglaise connue pour sa musique imaginative, intelligente et innovante, Kate Bush était l'une des artistes féminines les plus populaires de Grande-Bretagne dans les années 1980. Ses albums comprennent The Kick Inside, Lionheart, Hounds of Love et The Sensual World.

Née à Bexleyheath, dans le Kent, en Angleterre, le 30 juillet 1958, Catherine (Kate) Bush était la plus jeune enfant d'une famille de musiciens. Jeune fille, elle étudie le violon et le piano et rejoint fréquemment ses parents et ses frères aînés pour jouer et chanter des airs traditionnels anglais et irlandais à la maison.

À l'âge de 14 ans, Kate Bush commence à écrire sa propre musique. Deux ans plus tard, alors qu'elle est encore élève au lycée St. Joseph's Convent, elle enregistre plusieurs chansons et les envoie à différentes maisons de disques. Elle signe un contrat avec EMI Records en 1974.

Le contrat EMI offrait à la jeune chanteuse une avance considérable ainsi que beaucoup de temps pour développer ses compétences avant d'entrer dans le studio d'enregistrement. Entre 1974 et 1977, Bush étudie la danse et le mime et commence également à prendre des cours de chant.

En 1977, Kate Bush commence à enregistrer son premier single, "Wuthering Heights", une chanson dont les paroles sont basées sur le roman d'Emily Brontë du même nom. Le single sort en janvier 1978 et, en mars, la chanson se hisse à la première place du hit-parade pop britannique. En avril, elle sort son premier album, The Kick Inside, qui se vend à plus d'un million d'exemplaires.

Kate Bush a sorti un deuxième album, Lionheart, en 1978, et dans le cadre d'une énorme campagne publicitaire orchestrée par EMI, elle a effectué une tournée de 28 villes. Des extraits de cette tournée sont publiés sous le titre Kate Bush on Stage (1979). La tournée épuise Kate Bush et renforce sa détermination à se concentrer principalement sur l'écriture et l'enregistrement et à éviter les futurs événements publicitaires.

En 1980, Kate Bush sort son troisième album, Never for Ever, qui comprend les chansons à succès "Breathing" et "Babooshka". Son album suivant, The Dreaming (1982), est un album complexe et richement doublé, considéré par beaucoup comme un exemple exceptionnel d'un style baroque contemporain. L'album, le premier qu'elle produit entièrement seule, est généralement salué par la critique mais se vend relativement peu.

Après une pause de trois ans dans le studio, Bush a publié Hounds of Love en 1985, qui était stylistiquement plus proche de ses albums précédents. L'album contient le single "Running Up That Hill", qui a permis à Bush de percer aux États-Unis, où elle fait l'objet d'un véritable culte. Pour son album suivant, The Sensual World (1989), elle passe chez Columbia Records. L'album atteint la deuxième place du hit-parade britannique de la musique pop.

Son album The Red Shoes (1993) a reçu des critiques favorables en Grande-Bretagne et aux États-Unis et a même débuté dans le top 30 du hit-parade américain de la musique pop. Bush se produit rarement en concert, mais elle a réalisé des vidéos musicales et un film, The Line, The Cross, The Curve (1993), basé sur sa musique.

Kate Bush a ensuite fait une pause de 12 ans dans sa carrière musicale. Elle refait surface avec Aerial (2005), un double disque qui lui vaut certaines des critiques les plus favorables de sa carrière. Elle a ensuite sorti Director's Cut (2011) - sur lequel elle a réenregistré des chansons de The Sensual World et The Red Shoes - et 50 Words for Snow (2011).

Points forts

- Kate Bush, de son vrai nom Catherine Bush, était le plus jeune enfant d'une famille d'artistes.
- Après avoir réalisé et joué dans The Line, the Cross & the Curve (1993), un court-métrage reprenant les chansons de The Red Shoes, M. Bush s'est retiré de la musique pendant 12 ans.
- Elle a refait surface avec l'atmosphérique Aerial (2005), un double disque imprégné des thèmes de la domesticité et du monde naturel qui lui a valu certaines des critiques les plus favorables de sa carrière.
- En 2014, Bush est revenu sur scène pour la première fois en 35 ans. Ses 22 concerts étaient des spectacles scéniques, avec marionnettes, illusionnistes et danseurs, et ils ont été suivis de l'enregistrement live en trois disques Before the Dawn (2016).
- M. Bush a été fait commandeur de l'ordre de l'Empire britannique (CBE) en 2013.

Questions de recherche

---

1. Que pensez-vous de toutes les femmes artistes de la liste de Billboard qui ont fait un retour en force l'année dernière ?
2. Qu'est-ce qui vous excite le plus lorsque vous allez à un concert ?

3. Comment les rôles des hommes et des femmes ont-ils évolué entre les années 1920 et 1930 et les années 1950/1960, entraînant un changement dans ce que les artistes féminines pouvaient ou ne pouvaient pas faire sur scène ?

Aretha Franklin (1942-2018)

Chanteuse américaine et première femme intronisée au Rock and Roll Hall of Fame.

"Parfois, ce que vous cherchez est déjà là."

Aretha Franklin a défini l'âge d'or de la musique soul des années 1960. En 1987, elle est devenue la première femme intronisée au Rock and Roll Hall of Fame.

Aretha Louise Franklin est née le 25 mars 1942 à Memphis, dans le Tennessee. La mère d'Aretha, Barbara, était une chanteuse et pianiste de gospel. Son père, C.L. Franklin, présidait l'église baptiste New Bethel de Détroit, dans le Michigan, et était un pasteur d'influence nationale. Chanteur lui-même, il était connu pour ses sermons brillants, dont beaucoup ont été enregistrés par Chess Records.

Ses parents se séparent lorsqu'elle a six ans, et Aretha reste avec son père à Detroit. Sa mère meurt quand Aretha a 10 ans.

Dès l'adolescence, Aretha Franklin se produit avec son père dans ses émissions de gospel dans les grandes villes du pays et est reconnue comme un prodige vocal. Son influence principale, Clara Ward, du célèbre groupe Ward Singers, était une amie de la famille. D'autres grands noms du gospel de l'époque - Albertina Walker et Jackie Verdell - ont contribué à façonner le style de la jeune Franklin. Son album The Gospel Sound of Aretha Franklin (1956) capture l'électricité de ses performances à l'âge de 14 ans.

À 18 ans, avec la bénédiction de son père, Aretha Franklin passe de la musique sacrée à la musique profane. Elle s'installe à New York, où John Hammond, cadre chez Columbia Records, qui a signé Count Basie et Billie Holiday, arrange son contrat d'enregistrement et supervise des sessions qui la mettent en valeur dans une veine blues-jazz. De cette première session, "Today I Sing the Blues" (1960) reste un classique.

Mais, alors que ses amis de Detroit, sous le label Motown, enchaînent les succès, Aretha Franklin a du mal à s'imposer sur le marché. Sa maison de disques la confie à divers producteurs qui la commercialisent auprès des adultes ("If Ever You Should Leave Me", 1963) et des adolescents ("Soulville", 1964).

Sans cibler un genre particulier, Aretha Franklin chante tout, des ballades de Broadway au rhythm and blues destiné aux jeunes. Les critiques reconnaissent son talent, mais le public reste tiède jusqu'en 1966, lorsque Aretha Franklin passe chez Atlantic Records, où le producteur Jerry Wexler lui permet de sculpter sa propre identité musicale.

Chez Atlantic, Aretha Franklin revient à ses racines gospel-blues, et les résultats sont sensationnels. "I Never Loved a Man (the Way I Love You)" (1967) est son premier million de ventes. Entourée de musiciens sympathiques jouant des arrangements spontanés et capable de concevoir elle-même les chants de fond, Aretha Franklin affine un style associé à Ray Charles - un mélange entraînant de gospel et de rhythm and blues - et l'élève à de nouveaux sommets.

Alors qu'une nation soucieuse des droits civiques apporte un soutien accru à la musique urbaine noire, Aretha Franklin est couronnée reine de la soul. "Respect", sa reprise en 1967 de la fougueuse composition d'Otis Redding, devient un hymne qui agit sur les plans personnel et racial. "Think" (1968), qu'elle a écrit elle-même, a également plus d'une signification.

Au début des années 1970, Aretha Franklin triomphe au Fillmore West de San Francisco devant un public d'enfants-fleurs et effectue des tournées éclair en Europe et en Amérique latine. Son retour à la musique d'église, Amazing Grace (1972), est considéré comme l'un des plus grands albums de gospel de tous les temps.

À la fin des années 1970, le disco a mis à l'étroit le style d'Aretha Franklin et a érodé sa popularité. Mais en 1982, avec l'aide de l'auteur-compositeur-producteur Luther Vandross, elle est de retour au sommet avec un nouveau label, Arista, et un nouveau tube dance, "Jump to It", suivi de "Freeway of Love" (1985). Ses derniers albums incluent A Rose Is Still a Rose (1998), So Damn Happy (2003), et A Woman Falling Out of Love (2011).

Aretha Franklin a reçu la médaille présidentielle américaine de la liberté en 2005 et a chanté "My Country 'Tis of Thee" lors de l'investiture du président Barack Obama en 2009. Elle est décédée le 16 août 2018, à Détroit.

Points forts

- À la fin des années 1970, le disco a mis à l'étroit le style d'Aretha Franklin et a érodé sa popularité.
- En 1982, avec l'aide du chanteur-auteur-producteur Luther Vandross, Franklin est de retour au sommet avec un nouveau label, Arista, et un nouveau tube dance, "Jump to It", suivi de "Freeway of Love" (1985).
- En 1987, Aretha Franklin est devenue la première femme à être intronisée au Rock and Roll Hall of Fame. En outre, elle a reçu un Kennedy Center Honor en 1994, une National Medal of Arts en 1999 et la Presidential Medal of Freedom en 2005.

- Le documentaire Amazing Grace, qui retrace son enregistrement de l'album de 1972, a été présenté en avant-première en 2018.

Questions de recherche

---

1. Quelles sont vos chanteuses préférées et pourquoi ?
2. Quel est le conflit que les artistes masculins abordent souvent et comment se compare-t-il à ce que les femmes chantent ?
3. À votre avis, comment les musiciennes peuvent-elles réussir dans l'industrie de la musique aujourd'hui ?

Margaret Bourke-White (1904-1971)

Photographe américaine et première femme autorisée à travailler dans les zones de combat

"La beauté du passé appartient au passé."

Margaret Bourke-White est l'une des pionnières du photoreportage dans le domaine du photojournalisme. Au début de sa carrière, elle a acquis une réputation d'originalité et a été la première femme à devenir correspondante de guerre accréditée pendant la Seconde Guerre mondiale.

Margaret Bourke-White est née à New York le 14 juin 1904. Elle est diplômée de l'université Cornell en 1927, après avoir également étudié à l'université Columbia, à l'université du Michigan et à l'université Western Reserve.

Bien que Margaret Bourke-White ait eu l'intention de devenir biologiste, elle a changé ses plans après avoir étudié brièvement la composition photographique à l'université. Bourke-White a commencé sa carrière professionnelle en tant que photographe industriel et architectural en 1927. En 1929, elle est engagée par l'éditeur Henry Luce pour son nouveau magazine, Fortune.

Margaret Bourke-White a développé son style photojournalistique personnel lors de ses missions en Allemagne et en Union soviétique. Bourke-White est l'un des quatre premiers photographes du magazine Life de Luce, dès sa première parution en 1936. Sa photographie du barrage de Fort Peck est apparue sur la couverture du premier numéro du magazine.

Margaret Bourke-White a fourni les photographies et son futur mari, Erskine Caldwell, le texte d'un livre documentaire sur le Sud rural, "You Have Seen Their Faces", publié en 1937. Bourke-White et Caldwell ont été mariés de 1939 à 1942.

Avec le début de la Seconde Guerre mondiale, Life a chargé Bourke-White de couvrir les forces armées américaines. En route pour l'Afrique du Nord, son navire de transport est torpillé et coulé, mais elle survit pour photographier la campagne d'Italie. Couvrant le siège de Moscou, Bourke-White a photographié le bombardement depuis le toit de son hôtel près du Kremlin.

L'éclairage des fusées éclairantes allemandes lui servait d'éclairage pour ses photos. Plus tard, ses photographies des détenus émaciés des camps de concentration allemands et des cadavres dans les chambres à gaz ont stupéfié le monde entier.

Après la guerre, en Inde, Bourke-White réalise d'émouvants portraits du leader nationaliste Mahatma Gandhi et enregistre la vaste migration des personnes déplacées par la division du pays en Inde et au Pakistan. En 1949 et 1950, Bourke-White a couvert les troubles raciaux et syndicaux en Afrique du Sud. Pendant la guerre de Corée, au début des années 1950,

Margaret Bourke-White est attachée comme correspondante aux troupes sud-coréennes.

En 1952, Margaret Bourke-White est frappée par la maladie de Parkinson. Elle consacre alors une grande partie de son temps à l'écriture, bien qu'elle continue à produire quelques essais photographiques avant de prendre sa retraite de Life en 1969. Bourke-White est décédée à Stamford, dans le Connecticut, le 27 août 1971.

Points forts

- Margaret Bourke-White, de son nom d'origine Margaret White, a commencé sa carrière en 1927 comme photographe industriel et architectural. Elle a rapidement acquis une réputation d'originalité et, en 1929, l'éditeur Henry Luce l'a engagée pour son nouveau magazine Fortune.
- Après la Seconde Guerre mondiale, Bourke-White s'est rendu en Inde pour photographier Mohandas Gandhi et enregistrer les migrations massives provoquées par la division du sous-continent indien en Inde hindoue et Pakistan musulman.
- Pendant la guerre de Corée, elle a travaillé comme correspondante de guerre et a voyagé avec les troupes sud-coréennes.
- Atteinte de la maladie de Parkinson en 1952, Bourke-White continue à photographier et à écrire et publie plusieurs ouvrages sur son travail ainsi que son autobiographie, Portrait of Myself (1963).

Questions de recherche

1. Si vous deviez recommander un photographe célèbre, vivant ou mort, quel serait-il ?
2. Ces femmes remettent-elles en question l'idée d'une photographie largement dominée par les hommes, ou l'ignorent-elles tout simplement pour se concentrer davantage sur leur travail ?

3. Pourquoi les photographies sont-elles si importantes pour les personnes qui s'y adonnent ou qui en font leur forme d'art préférée ?

Dorothea Lange (1895-1965)

Photographe documentaire américain

"L'appareil photo est un instrument qui apprend aux gens à voir sans appareil."

Les photographies austères des victimes de la Grande Dépression des années 1930, réalisées par Dorothea Lange, ont eu une influence majeure sur les photographes documentaires et journalistiques qui lui ont succédé. Lange a été qualifiée de plus grande photographe documentaire des États-Unis.

Dorothea Lange est née à Hoboken, dans le New Jersey, le 26 mai 1895. Elle a d'abord étudié la photographie sous la direction de Clarence White, membre d'un groupe de photographes bien connu appelé la Photo-Secession. À l'âge de 20 ans, Lange décide de voyager autour du monde, gagnant de l'argent en vendant ses photographies. Elle n'a plus d'argent à San Francisco, où elle s'installe et ouvre un studio de portrait en 1916.

Pendant la dépression, Lange a photographié les hommes sans abri qui erraient dans les rues. Des photos telles que White Angel Breadline, prise en 1932, montrent le désespoir de ces hommes et sont immédiatement reconnues par les photographes renommés du groupe f.64. C'est ainsi que Lange a été engagé par l'administration fédérale de réinstallation (appelée plus tard Farm Security Administration) pour attirer l'attention du public sur les conditions de vie des pauvres.

Ses photographies des travailleurs migrants de Californie, légendées avec les propres mots des sujets, étaient si efficaces que l'État a créé des camps pour les migrants.

En 1939, Dorothea Lange a publié un recueil de ses photographies intitulé An American Exodus : a Record of Human Erosion. Deux ans plus tard, elle reçoit une bourse Guggenheim, à laquelle elle renonce afin d'enregistrer avec son appareil photo l'évacuation massive des Américains d'origine japonaise en Californie vers des camps de détention après le bombardement de Pearl Harbor.

Après la Seconde Guerre mondiale, Dorothea Lange a réalisé un certain nombre d'essais photographiques pour le magazine Life. Le 11 octobre 1965, Lange est décédée à San Francisco après une longue maladie.

Points forts

- Dorothea Lange a étudié la photographie à l'université Columbia de New York sous la direction de Clarence H. White, membre du groupe Photo-Secession.
- En 1918, Lange décide de faire le tour du monde, gagnant de l'argent en vendant ses photographies. Elle n'a plus d'argent lorsqu'elle arrive à San Francisco, alors elle s'y installe et trouve un emploi dans un studio de photographie.
- Pendant la Grande Dépression, Lange a commencé à photographier les hommes sans emploi qui erraient dans les rues de San Francisco.

- La première exposition de Lange a lieu en 1934, et sa réputation de photographe documentaire compétent est alors fermement établie.

Questions de recherche

---

1. Quels sont les obstacles auxquels les artistes féminines sont confrontées lorsqu'il s'agit d'être prises au sérieux en tant qu'artiste ?
2. Comment l'art est-il façonné par et reflète-t-il la société dont il est issu ?
3. La création artistique comporte-t-elle encore des stéréotypes, ne serait-ce qu'inconsciemment ?

Leni Riefenstahl (1902-2003)

Réalisatrice, actrice, productrice et photographe allemande de cinéma.

"J'étais fasciné par les effets que l'on pouvait obtenir par le montage. La salle de montage est devenue pour moi un atelier de magie."

L'héritage de la cinéaste, actrice, photographe et réalisatrice allemande Leni Riefenstahl a été corrompu par sa notoriété en tant que réalisatrice pour Adolf Hitler. Leni Riefenstahl est surtout connue pour deux documentaires qu'elle a réalisés sous le régime nazi et qui ont été présentés par la suite comme l'une des œuvres de propagande les plus réussies jamais réalisées.

Triumph of the Will, commandé par Hitler à Riefenstahl, était un documentaire sur le congrès du parti nazi à Nuremberg en 1934. Le second, Olympia, portait sur les Jeux olympiques d'été de 1936 à Munich. Plus tard dans sa vie, Leni Riefenstahl a été photographe, travaillant notamment avec de petites tribus africaines, et directrice de la photographie sous-marine, mais elle n'a jamais surmonté les questions et la controverse entourant son travail pour les nazis.

Berta Helene Amalie Riefenstahl est née le 22 août 1902 à Berlin. Leni Riefenstahl est la fille aînée d'Alfred et Berta Riefenstahl. Son père possédait une entreprise d'ingénierie en plomberie. Elle a étudié à la Kunstakademie, puis a commencé des études sérieuses de ballet et de peinture.

La première carrière de Leni Riefenstahl a été celle de danseuse, et elle s'est produite dans des récitals au début des années 1920 jusqu'à ce qu'une blessure au genou en 1924 interrompe sa carrière de danseuse. Leni Riefenstahl a travaillé comme actrice de cinéma pendant la décennie suivante, se spécialisant dans les films allemands populaires d'action et de montagne. Le premier de ces films est Peak of Destiny (1925), réalisé par Arnold Franck.

Afin de jouer les rôles de ces films d'action, Leni Riefenstahl a appris à skier et à escalader des montagnes. Les intrigues de certains de ces films étaient faibles, mais les images d'êtres humains conquérant la nature étaient vivantes. Plus tard, des critiques de cinéma ont affirmé que ces films contenaient les graines du proto-nazisme. Leni Riefenstahl, qui était d'une beauté sensuelle, est devenue une actrice célèbre et adulée en Allemagne.

En 1931, elle crée Leni Riefenstahl-Produktion et, en 1932, elle écrit, réalise, produit et joue dans La lumière bleue. Le film, basé sur un vieux conte italien racontant l'histoire d'une jeune fille fascinée par la lumière émanant d'une grotte, est très bien accueilli.

Hitler est l'un de ses admirateurs et, après avoir vu le film, il demande à Riefenstahl de réaliser un documentaire sur le congrès du parti à Nuremberg. La Lumière bleue est le premier film que Leni Riefenstahl ait jamais réalisé, et il a reçu la médaille d'argent à la Biennale de Venise de 1932.

Triumph of the Will (1934) est un documentaire sur le rassemblement de Nuremberg lors de l'arrivée au pouvoir des nazis. Le film a été entièrement financé par le parti nazi, et Riefenstahl a fait travailler plus de

100 personnes sur le film. Il a reçu la médaille d'or à la Biennale de Venise en 1937.

Leni Riefenstahl a réalisé et monté le film, le remplissant de propagande étonnante et très efficace, y compris l'utilisation libérale de symboles tels que la croix gammée et les aigles en vol. Dans le film, Hitler est présenté comme un sauveur, et de nombreux plans scrutant la foule mettent en évidence l'adoration dans les yeux des gens qui le regardent.

Olympia, le film de Riefenstahl sur les Jeux olympiques de 1936, a nécessité deux années complètes de travail, de la formation de tous ses cameramen au montage final. Le film, qui est sorti le jour de l'anniversaire d'Hitler, a valu à Leni Riefenstahl une nouvelle médaille d'or à la Biennale de Venise. Des décennies plus tard, certains experts du cinéma considèrent Olympia comme l'un des plus grands films de tous les temps.

Leni Riefenstahl a changé la façon d'aborder les documentaires sur les événements sportifs. Elle a fait travailler 33 personnes avec des caméras, y compris celles qui capturaient les réactions de la foule, celles qui enregistraient les préparatifs et celles qui filmaient les événements eux-mêmes.

Riefenstahl a attaché une caméra à un ballon pour filmer les événements depuis le ciel, et elle a suivi les coureurs autour de la piste avec la caméra. L'idéal nazi de la perfection du corps humain aryen se reflète dans le film, mais, malgré le parti pris racial de la philosophie nazie, Leni Riefenstahl a également accordé de l'attention aux triomphes de l'athlète afro-américain Jesse Owens.

Après la guerre, Leni Riefenstahl est mise sur liste noire. Riefenstahl est retenue prisonnière en Autriche par l'armée américaine et est ensuite emprisonnée par les autorités françaises. Les allégations selon lesquelles elle se serait engagée dans des activités politiques pour soutenir le régime nazi ont été déclarées fausses par les tribunaux de Baden en 1948 et de Berlin-Ouest en 1952.

En 1956, Leni Riefenstahl se rend pour la première fois en Afrique et, dans les années 1960, elle entame un nouveau chapitre de sa vie en photographiant le peuple Nouba au Soudan. Ses photographies ont été publiées par des magazines tels que Life, Der Stern et L'europeo.

Leni Riefenstahl a vécu parmi de petites tribus et a publié des livres de photographies, dont The Last of the Nuba (1974) et People of the Kau (1976). À 71 ans, elle se lance dans la photographie sous-marine et publie Coral Gardens en 1978.

À l'âge de 90 ans, Riefenstahl a écrit son autobiographie et a participé à des films réalisés par des biographes sur sa vie. Parmi les autres films de Leni Riefenstahl, citons La montagne sacrée (1925), Le grand saut (1927), L'enfer blanc de Pitz Palu (1929), Tempêtes du Mont-Blanc (1930), Frénésie blanche (1931), S.O.S. Iceberg (1933) et Tiefland (1945).

Parmi les autres publications de Leni Riefenstahl figurent Mein Afrika (1982), Memoiren (1987), Wonders Under the Water (1991), The Sieve of Time (1992) et son autobiographie, Leni Riefenstahl : A Memoir (1994).

En 1993, le réalisateur Ray Muller a sorti un documentaire intitulé The Wonderful Horrible Life of Leni Riefenstahl. Le film a suscité beaucoup d'attention, et son sujet, nonagénaire, était aussi fort et impénitent que jamais. Certains l'ont saluée comme la plus grande femme cinéaste de tous les temps, tandis que d'autres l'ont condamnée pour avoir volontairement utilisé ses talents artistiques pour soutenir le régime criminel d'un dictateur génocidaire.

Ses films ont été loués pour leur remarquable montage, leur belle cinématographie et leurs partitions complètes et bien choisies. En 1997, la série Biographie de la chaîne de télévision câblée A & E a produit Leni Riefenstahl : The Führer's Filmmaker. Le film mettait en lumière les événements de sa vie.

Bien que Leni Riefenstahl ait été innocentée par les tribunaux après la guerre et qu'elle n'ait jamais été membre du parti nazi, elle n'a jamais vraiment assumé ses liens avec Hitler. Elle ne s'est jamais excusée, affirmant que sa politique était distincte de son art. Lors d'un voyage au Soudan en 2000 pour rendre visite aux Nubas, elle a été blessée dans un accident d'hélicoptère.

En 2003, Riefenstahl sort son premier film en 48 ans. L'œuvre, un documentaire intitulé Impressionen Unter Wasser (Impressions sous l'eau), est une série de vignettes sur la vie sous-marine dans l'océan

Indien. Leni Riefenstahl est décédée à l'âge de 101 ans, le 8 septembre 2003, à Poecking, en Allemagne.

Points forts

- Leni Riefenstahl étudie la peinture et le ballet à Berlin et, de 1923 à 1926, elle apparaît dans des programmes de danse dans toute l'Europe.
- Riefenstahl a commencé sa carrière cinématographique en tant qu'actrice dans des "films de montagne" - un type de film allemand dans lequel la nature, en particulier le paysage de montagne, joue un rôle important - et elle est finalement devenue une réalisatrice dans ce genre.
- En 1931, elle crée une société, Leni Riefenstahl-Produktion, et l'année suivante, elle écrit, réalise, produit et joue dans Das blaue Licht (1932 ; La lumière bleue).
- Les films de Riefenstahl ont été acclamés pour leurs riches partitions musicales, pour la beauté cinématographique des scènes d'aube, de montagne et de vie rurale allemande, et pour leur montage brillant.
- Riefenstahl a consacré une grande partie de sa vie à la photographie, et Korallengärten (1978 ; Jardins de corail) et Wunder unter Wasser (1990 ; Merveilles sous l'eau) sont des collections de ses photographies sous-marines ; un documentaire sur la vie marine, Impressionen unter Wasser (Impressions sous l'eau), est sorti en 2002.

Questions de recherche

---

1. qu'est-ce qui vous inspire à prendre une photo plutôt qu'à peindre ?
2. Pensez-vous que votre photographie est stéréotypée féminine ou masculine ?
3. Qui sont vos photographes féminines préférées de tous les temps ?

Käthe Kollwitz (1867-1945)

Artiste allemande connue pour ses dessins et ses gravures

"Si chacun reconnaît et accomplit son cycle d'obligations, l'authenticité émerge"

La graphiste et sculptrice allemande Käthe Kollwitz a été la dernière grande praticienne de l'expressionnisme allemand et peut-être la principale artiste de la contestation sociale du XXe siècle. Kollwitz a utilisé son œuvre pour défendre les victimes de l'injustice sociale, de la guerre et de l'inhumanité.

Née Käthe Schmidt le 8 juillet 1867 à Königsberg, en Prusse orientale (aujourd'hui Kaliningrad, en Russie), elle grandit dans une famille de la classe moyenne libérale et étudie la peinture à Berlin en 1884-85 et à Munich en 1888-89.

Après 1890, Käthe Kollwitz se consacre principalement à l'art graphique, produisant des eaux-fortes, des lithographies, des gravures sur bois et des dessins. En 1891, elle épouse Karl Kollwitz, un médecin qui ouvre une clinique dans un quartier populaire de Berlin. C'est là que Käthe Kollwitz a eu un aperçu direct des conditions misérables des pauvres de la ville.

Les premières œuvres importantes de Käthe Kollwitz sont deux séries distinctes de gravures, intitulées Der Weberaufstand (vers 1894-98 ; révolte des tisserands) et Bauernkrieg (1902-08 ; guerre des paysans). Dans ces œuvres, elle dépeint la détresse des pauvres et des opprimés avec les formes puissamment simplifiées et audacieusement accentuées qui sont devenues sa marque de fabrique.

Après 1910, Kollwitz se tourne pour un temps vers la sculpture. La mort de son plus jeune fils au combat en 1914 l'a profondément affectée, et Kollwitz a exprimé son chagrin dans une autre série de gravures sur les thèmes d'une mère protégeant ses enfants ou d'une mère avec un enfant mort.

Pendant de nombreuses années, Käthe Kollwitz a également travaillé sur un monument en granit, à la mémoire de son fils, qui représentait son mari et elle-même en tant que parents en deuil. En 1932, il a été érigé dans un cimetière des Flandres.

Käthe Kollwitz a accueilli avec espoir la révolution russe de 1917 et la révolution allemande de 1918, mais elle a fini par être déçue par le communisme soviétique. Pendant les années de la République de Weimar, Kollwitz est devenue la première femme à être élue membre de l'Académie des arts de Prusse, où elle a dirigé le Master Studio for Graphic Arts de 1928 à 1933.

Malgré ces honneurs, Käthe Kollwitz a continué à se consacrer à un art socialement efficace et facile à comprendre. L'arrivée des nazis au pouvoir en Allemagne en 1933 a entraîné le retrait de ses œuvres exposées en 1934 et 1936.

La dernière grande série de lithographies de Käthe Kollwitz, Death (1934-36), traite de ce thème tragique avec des formes de plus en plus austères et monumentales qui transmettent un sentiment de drame. En 1940, le mari de Kollwitz meurt. Le petit-fils bien-aimé de l'artiste âgée a été tué au combat en 1942 pendant la Seconde Guerre mondiale, et le bombardement de sa maison et de son studio en 1943 a détruit une grande partie de l'œuvre de sa vie.

Käthe Kollwitz est morte quelques semaines avant la fin de la guerre en Europe, le 22 avril 1945. Le Journal et les Lettres de Kollwitz ont été publiés en 1988.

Points forts

- Käthe Kollwitz, de son vrai nom Käthe Schmidt, a grandi dans une famille de la classe moyenne libérale et a étudié la peinture à Berlin (1884-1885) et à Munich (1888-1889).
- Impressionnée par les gravures de son collègue Max Klinger, Käthe se consacre principalement à l'art graphique après 1890, produisant des eaux-fortes, des lithographies, des gravures sur bois et des dessins.
- La mort de son plus jeune fils au combat en 1914 l'a profondément affectée, et elle a exprimé son chagrin dans un autre cycle de gravures qui traitent des thèmes de la mère protégeant ses enfants et de la mère avec un enfant mort.
- De 1924 à 1932, Kollwitz a également travaillé sur un monument en granit pour son fils, qui représentait son mari et elle-même en tant que parents en deuil. En 1932, il a été érigé en tant que monument commémoratif dans un cimetière près d'Ypres, en Belgique.
- La dernière grande série de lithographies de Kollwitz, Death (1934-1936), traite de ce thème tragique avec des formes austères et monumentales qui donnent une impression de drame.

Questions de recherche

---

1. Quelle est la sculpture la plus célèbre que vous ayez vue et qui l'a créée ?
2. Quelles sont les sculptures célèbres qui se trouvent dans des musées et d'autres endroits dans le monde ?
3. Quelle est votre œuvre d'art préférée d'un sculpteur célèbre ?

Yayoi Kusama (née en 1929)

Artiste contemporaine japonaise connue pour son utilisation intensive des pois.

"Je crois que les yeux sont des motifs très importants. C'est quelque chose qui peut discerner la paix et l'amour."

L'artiste japonaise Yayoi Kusama a créé des peintures, des sculptures, des performances et des installations. Kusama a travaillé dans des styles tels que le pop art et le minimalisme. Kusama est connue pour son utilisation intensive des pois et pour ses installations "infinies".

Yayoi Kusama est née le 22 mars 1929 à Matsumoto, au Japon. Elle a commencé à peindre dès son enfance. À peu près à la même époque, Kusama a commencé à avoir des hallucinations qui impliquaient souvent des champs de points. À partir de cette époque, elle a souvent incorporé des points dans son art. Yayoi Kusama a reçu peu de formation artistique formelle. Elle n'a étudié l'art que brièvement, de 1948 à 1949, à l'école spécialisée des arts de la ville de Kyoto. En 1957, Kusama a déménagé aux États-Unis, où elle s'est installée à New York. Avant de quitter le Japon, Yayoi Kusama a détruit un grand nombre de ses premières peintures.

Les premiers travaux de Yayoi Kusama à New York comprenaient des peintures qu'elle appelait "infinity net". Elles consistaient en un filet de milliers de petites marques répétées sur de grandes toiles. Les marques allaient jusqu'aux bords de la toile, comme si elles se prolongeaient à l'infini. Ce travail a rapidement évolué vers le pop art et la performance.

Yayoi Kusama est devenue une figure centrale de l'avant-garde new-yorkaise. Ses œuvres ont été exposées aux côtés de celles d'artistes tels que Claes Oldenburg et Andy Warhol.

La répétition obsessionnelle est un thème récurrent dans les sculptures et les installations de Yayoi Kusama au début des années 1960. Dans la plupart de ces œuvres, elle recouvre la surface des objets. Par exemple, dans Accumulation No. 1 (1962), elle recouvre un fauteuil de petites sculptures souples en forme de tubes, réalisées dans un tissu blanc.

Pour ses installations, Yayoi Kusama a commencé à expérimenter d'immenses miroirs qui donnaient une impression d'infini. Infinity Mirror Room-Phalli's Field (1965) était une pièce à miroirs dont le sol était recouvert de centaines de tubes rembourrés de différentes longueurs, peints de points rouges. Elle continuera à utiliser des miroirs dans ses œuvres ultérieures.

Yayoi Kusama a utilisé l'art de la performance pour explorer les idées anti-guerre, anti-establishment et d'amour libre de l'époque. Elle a souvent inclus la nudité publique dans ses performances. Dans Grand Orgy to Awaken the Dead (1969), Kusama a peint des points sur le corps de participants. Ces derniers ont ensuite participé à une performance non autorisée dans le jardin des sculptures du Museum of Modern Art de New York. Les critiques ont accusé Yayoi Kusama de faire une intense autopromotion, et son travail a été régulièrement couvert par la presse.

Yayoi Kusama est rentrée au Japon en 1973. À partir de 1977, de son propre choix, elle vit dans un hôpital psychiatrique. Elle continue à produire des œuvres d'art et écrit également des poèmes et des romans surréalistes. Parmi ses œuvres écrites figurent The Hustlers Grotto of Christopher Street (1984) et Between Heaven and Earth (1988).

Yayoi Kusama revient dans le monde de l'art international en 1989 avec des expositions à New York et Oxford, en Angleterre. En 1993, elle représente le Japon à la Biennale de Venise avec des œuvres telles que Mirror Room (Pumpkin). Il s'agissait d'une installation dans laquelle elle remplissait une pièce en miroir de sculptures de citrouilles recouvertes de sa signature à pois.

Des musées aux États-Unis et à Tokyo, au Japon, ont organisé une grande rétrospective de ses œuvres à la fin des années 1990. En 2006, Yayoi Kusama a reçu le prix Praemium Imperiale de la Japan Art Association pour la peinture. Le Whitney Museum of American Art de New York a proposé une grande rétrospective de son œuvre en 2012. Kusama a lancé une exposition itinérante en Amérique du Nord en 2017. Cette année-là, elle a ouvert un musée dédié à son œuvre à Tokyo.

Points forts

- Yayoi Kusama, a utilisé la peinture, la sculpture, l'art de la performance et les installations dans une variété de styles, notamment le pop art et le minimalisme.
- À partir de 1977, de son propre choix, Kusama vit dans un hôpital psychiatrique. Elle continue à produire des œuvres d'art pendant cette période et écrit également des poèmes et des romans surréalistes, notamment The Hustlers Grotto of Christopher Street (1984) et Between Heaven and Earth (1988).
- Kusama revient dans le monde de l'art international en 1989 avec des expositions à New York et à Oxford, en Angleterre.
- En 1993, elle a représenté le Japon à la Biennale de Venise avec des œuvres telles que Mirror Room (Pumpkin), une installation dans laquelle elle remplissait une pièce en miroir avec des sculptures de citrouilles recouvertes de sa signature à pois.
- En 2006, elle a reçu le prix Praemium Imperiale de la Japan Art Association pour la peinture.

Questions de recherche

1. Outre le fait d'être une artiste, que faut-il, selon vous, pour qu'une femme réussisse dans la profession masculine de sculpteur ?
2. À quoi les femmes qui voulaient être sculpteurs ont-elles été confrontées pendant leur carrière d'artiste et comment cela a-t-il changé au fil du temps ?
3. Qu'est-ce que vous admirez chez cet artiste ? Y a-t-il quelque chose que cet artiste fait mieux que les autres ?

Katharine Hepburn (1907-2003)

Détentrice du record du nombre d'Oscars de la meilleure actrice.

"Sans discipline, il n'y a pas de vie du tout."

Katharine Hepburn, au cours de sa longue carrière au théâtre et au cinéma, n'a jamais perdu l'accent yankee de la Nouvelle-Angleterre qui enrichissait ses interprétations. Hepburn apportait à ses rôles une profondeur de caractère, et parfois une excentricité, qui la distinguait de la plupart des femmes de tête.

Katharine Hepburn a remporté plus d'oscars que n'importe quelle autre interprète pour Morning Glory (1933), Guess Who's Coming to Dinner (1967), The Lion in Winter (1968) et On Golden Pond (1981).

Katharine Houghton Hepburn est née le 12 mai 1907 à Hartford, dans le Connecticut. Elle a fréquenté le Bryn Mawr College, où elle a joué dans des productions théâtrales. Après avoir obtenu son diplôme en 1928, Hepburn se lance dans le show-business et tient un petit rôle à Broadway dans Night Hostess. Après des pièces successives au cours des quatre années suivantes, son rôle dans The Warrior's Husband (1932) lui vaut un contrat de cinéma avec les studios RKO. Son premier film, A Bill of Divorcement (1932), l'établit comme une star, et elle apparaît dans une succession rapide de films, dont Little Women (1933), Spitfire (1934), Sylvia Scarlett (1936), Stage Door (1937), et Bringing Up Baby (1938). Après avoir travaillé sur scène dans Jane Eyre et The Philadelphia Story, elle retourne à Hollywood pour tourner cette dernière pièce, qui remporte le prix de la critique cinématographique de New York en 1940.

En 1942, Katharine Hepburn a commencé sa longue association cinématographique avec Spencer Tracy dans Woman of the Year. Parmi ses neuf films avec lui, citons Without Love (1945), State of the Union (1948), Adam's Rib (1949) et Pat and Mike (1952). Son record de 12 nominations aux Oscars - qui a duré plus de 20 ans jusqu'à ce qu'il soit dépassé par Meryl Streep en 2003 - a récompensé son travail dans Alice Adams (1935), The African Queen (1951), The Rainmaker (1956) et Long Day's Journey into Night (1962), entre autres. Elle a également joué dans As You Like It et d'autres pièces shakespeariennes dans les années 1950, Coco (1969) et West Side Waltz (1981).

Katharine Hepburn a joué dans plusieurs téléfilms dans les années 1970, 1980 et 1990. Sa dernière prestation sur grand écran a été dans Love Affair (1994). Katharine Hepburn est décédée à son domicile d'Old Saybrook, dans le Connecticut, le 29 juin 2003.

Points forts

- Katharine Hepburn, de son vrai nom Katharine Houghton Hepburn, a introduit dans ses rôles une force de caractère jusqu'alors considérée comme indésirable chez les premières dames d'Hollywood.
- Sans se décourager, Hepburn accepte un rôle écrit spécialement pour elle dans la comédie The Philadelphia Story de Philip Barry en 1938, sur une mondaine dont l'ex-mari tente de la reconquérir. Le succès est énorme et elle achète les droits cinématographiques de la pièce. La version cinématographique de 1940 - dans laquelle elle retrouve Cukor et Grant - est un succès critique et commercial, et lance sa carrière à Hollywood.

- La stature de Katharine Hepburn s'accroît au fur et à mesure qu'elle remporte des triomphes cinématographiques tels que The African Queen (1951) de John Huston, dans lequel elle incarne une missionnaire qui échappe aux troupes allemandes avec l'aide d'un capitaine de bateau (Humphrey Bogart), et Summertime (1955) de David Lean, une histoire d'amour qui se déroule à Venise.
- Katharine Hepburn a remporté un deuxième Oscar pour Guess Who's Coming to Dinner (1967), une comédie dramatique sur le mariage interracial ; un troisième pour The Lion in Winter (1968), dans lequel Hepburn jouait le rôle d'Aliénor d'Aquitaine ; et un quatrième Oscar, sans précédent, pour On Golden Pond (1981), sur des habitants de la Nouvelle-Angleterre mariés depuis longtemps (Hepburn et Henry Fonda).

Questions de recherche

---

1. Que pensez-vous des actrices qui ont fait leurs débuts bien avant les Oscars ?
2. Pourquoi les gens ne pensent-ils pas davantage à Katharine Hepburn lorsqu'ils évoquent l'actrice la plus oscarisée de l'histoire ?
3. Si vous étiez né à une autre époque, avez-vous des aptitudes qui auraient pu vous mener à une carrière récompensée par un prix ?

Louise Nevelson (1899-1988)

Sculpteur américain connu pour ses pièces murales monumentales, monochromes et en bois.

"Lorsque vous assemblez des objets, des objets que d'autres personnes ont jetés, vous leur donnez réellement vie - une vie spirituelle qui dépasse la vie pour laquelle ils ont été créés à l'origine."

Louise Nevelson est connue pour ses grandes sculptures abstraites monochromes et ses environnements en bois et autres matériaux.

Louise Berliawsky est née à Kiev (Kiev), en Russie (aujourd'hui Kiev, en Ukraine), le 23 septembre 1899. En 1905, elle quitte l'Ukraine avec sa famille pour s'installer à Rockland, dans le Maine. Elle épouse l'homme d'affaires Charles Nevelson en 1920, mais quitte ensuite son mari et son enfant pour poursuivre ses ambitions artistiques. En 1929, elle commence à étudier avec Kenneth Hayes Miller à l'Art Students League de New York. En 1931, Louise Nevelson étudie avec Hans Hofmann à Munich, en Allemagne.

La première exposition individuelle de Louise Nevelson a eu lieu à New York en 1941. Ses premières sculptures figuratives en bois, en terre cuite, en bronze et en plâtre témoignent d'une préoccupation pour les blocs, les masses imbriquées qui rappellent la sculpture d'Amérique centrale (où elle a voyagé dans les années 1940) et anticipent son style mature. C'est également dans les œuvres figuratives qu'apparaissent pour la première fois ses objets trouvés caractéristiques, sous forme de traits et d'appendices stylisés.

Après avoir enduré des années de pauvreté et de négligence de la part de la critique, Louise Nevelson a, dans les années 1950, développé son style sculptural mature et commencé à être reconnue par la critique. À cette époque, Nevelson travaille presque exclusivement avec des formes abstraites. Elle est surtout connue pour ses œuvres datant de cette période - des boîtes en bois à face ouverte empilées pour former des murs autoportants. À l'intérieur de ces boîtes sont exposées des collections d'objets de forme abstraite soigneusement disposées, mêlées à des pieds de chaise, des morceaux de balustrade et d'autres objets trouvés et des pièces de bric et de broc.

Les boîtes et leur contenu sont peints d'une seule couleur, généralement le noir, bien qu'elle ait également coloré des sculptures en blanc ou en or. Ces collections de débris architecturaux et d'objets vaguement reconnaissables apportent un sentiment de mystère et d'antiquité tout en créant des tensions entre les objets, grâce à son habileté à les agencer. Beaucoup de ces pièces portent des titres mystiques (par exemple, Sky Cathedral, 1958 ; Silent Music II, 1964 ; Sky Gate-New York, 1978).

Les grands musées ont commencé à acheter les sculptures murales de Louise Nevelson à la fin des années 1950. Au cours des décennies suivantes, elle a été reconnue comme l'un des principaux sculpteurs de la seconde moitié du XXe siècle. En 1967, la première grande rétrospective de son œuvre est présentée au Whitney Museum of American Art de New York.

Dans les années 1970 et 1980, Louise Nevelson a élargi la variété des matériaux utilisés dans ses sculptures, incorporant des objets en aluminium, en plexiglas et en Lucite. Nevelson est décédée le 17 avril 1988 à New York.

Points forts

- En 1905, Louise Nevelson quitte l'Ukraine avec sa famille pour s'installer à Rockland, dans le Maine.
- En 1929, elle commence à étudier avec Kenneth Hayes Miller à l'Art Students League de New York, et en 1931, elle étudie avec Hans Hofmann à Munich.
- La première exposition individuelle de Nevelson a lieu à New York, à la galerie Nierendorf, en 1941.
- Ses premières sculptures figuratives en bois, en terre cuite, en bronze et en plâtre (par exemple, Ancient Figure, 1932) témoignent d'une préoccupation pour les blocs, les masses imbriquées qui rappellent la sculpture d'Amérique centrale (où elle a voyagé dans les années 1940) et anticipent son style de maturité.
- Les grands musées ont commencé à acheter les sculptures murales de Nevelson à la fin des années 1950, et elle a participé à l'exposition historique "Sixteen Americans" au Museum of Modern Art de New York en 1959.

Questions de recherche

---

1. Que choisiriez-vous de mettre en valeur dans votre maison si vous aviez un budget illimité pour des sculptures ?
2. Quels sont les sculpteurs féminins célèbres que vous connaissez ?
3. Si vous pouviez choisir, de quel artiste aimeriez-vous suivre un cours à l'école et pourquoi ?

Janet Scudder (1869 - 1940)

Sculpteur et peintre américain, surtout connu pour ses sculptures ornementales de jardin.

"Je ne crois pas que les artistes doivent être soumis à des expériences qui endurcissent leur sensibilité ; sans sensibilité, aucun travail de qualité ne peut être réalisé".

Au début du XXe siècle, la sculptrice américaine Janet Scudder a créé des fontaines et des sculptures de jardin très populaires pour de nombreux clients privés et institutions publiques. Ses créations gracieuses et amusantes comprenaient généralement des chérubins joufflus et joyeux.

Née Netta Deweze Frazee Scudder à Terre Haute, dans l'Indiana, le 27 octobre 1869, elle adopte le prénom de Janet alors qu'elle fréquente l'Académie des arts de Cincinnati. Elle y étudie le dessin, l'anatomie et le modelage et choisit la sculpture sur bois comme principal centre d'intérêt. En 1891, elle s'installe à Chicago, dans l'Illinois, et après un bref emploi de sculpteur sur bois, elle devient l'assistante de Lorado Taft. Elle aide Taft à produire des sculptures pour l'Exposition universelle de la Columbie et, en partie grâce à lui, reçoit des commandes pour créer des statues pour les bâtiments de l'Illinois et de l'Indiana. Elle a étudié et travaillé à Paris avec le sculpteur américain Frederick MacMonnies avant de s'installer à New York, où elle a reçu sa première commande importante : un sceau pour l'Association du barreau de New York. D'autres commandes de décoration architecturale et de médaillons de portraits suivent. Elle revient à Paris en 1896 et, par l'intermédiaire de MacMonnies, vend plusieurs de ses médaillons au Musée du Luxembourg.

Un voyage à Florence, où elle voit pour la première fois des œuvres de Donatello et de Verrocchio, inspire Scudder à commencer à travailler sur sa Fontaine Grenouille. En 1899, elle retourne à New York, où des versions de la fontaine grenouille sont achetées par Stanford White et par le Metropolitan Museum of Art. Les commandes de John D. Rockefeller, entre autres, affluent et font d'elle l'un des sculpteurs américains les plus prospères de l'époque.

Janet Scudder vit à nouveau en France de 1909 jusqu'à la Première Guerre mondiale, date à laquelle elle rentre aux États-Unis et s'engage dans des actions de secours avec le Fonds Lafayette (qu'elle a organisé), la Croix-Rouge et la Young Men's Christian Association. Après la guerre, elle retourne dans sa maison de Ville d'Avray, près de Paris.

En 1920, Scudder est élu associé de la National Academy of Design. Une exposition de ses peintures, qui constituait un intérêt pour ses dernières années, fut présentée à New York en 1933. Janet Scudder quitta la France pour la dernière fois en 1939 et mourut à Rockport, Massachusetts, le 9 juin 1940.

Points forts

- Janet Scudder, de son nom d'origine Netta Deweze Frazee Scudder, a étudié le dessin, l'anatomie et le modelage avant de se consacrer à la sculpture sur bois.

- Elle étudie et travaille à Paris avec le sculpteur américain Frederick MacMonnies avant de s'installer à New York, où elle reçoit peu après sa première commande importante, à savoir la création d'un sceau pour l'association du barreau de New York.
- Janet Scudder revient à Paris en 1896 et, par l'intermédiaire de MacMonnies, vend plusieurs de ses médaillons au musée du Luxembourg.
- Son autobiographie, intitulée Modeling My Life, a été publiée en 1925.

Questions de recherche

---

1. si vous pouviez choisir, de quel artiste aimeriez-vous suivre un cours et pourquoi ?
2. Pensez-vous qu'il y a suffisamment de femmes artistes célèbres dans le monde en général ?
3. Quelle est votre femme sculpteur préférée, ou une artiste qui a influencé beaucoup d'autres artistes ?

Doris Lessing (1919 - 2013)

Écrivain britannique et lauréat du prix Nobel

"Ce que j'avais que les autres n'avaient pas, c'était la capacité de m'y tenir."

Les romans et les nouvelles de l'écrivaine britannique Doris Lessing portent essentiellement sur des personnes impliquées dans les bouleversements sociaux et politiques du XXe siècle. Le roman semi-autobiographique Le carnet d'or (1962), dans lequel une femme écrivain tente d'accepter la vie de son époque à travers son art, est l'une de ses œuvres les plus complexes et les plus lues.

Doris May Lessing est née le 22 octobre 1919 à Kermanshah, en Perse (aujourd'hui Iran), où son père servait comme capitaine dans l'armée britannique. La famille a déménagé dans une ferme en Rhodésie du Sud (aujourd'hui Zimbabwe), où elle a vécu de 1924 jusqu'à ce que Lessing s'installe en Angleterre en 1949. In Pursuit of the English (1960) raconte ses premiers mois en Angleterre, et Going Home (1957) décrit sa réaction à la Rhodésie lors d'une visite de retour.

Doris Lessing a approfondi sa réflexion sur ce sujet dans African Laughter : Four Visits to Zimbabwe (1992). Ses premières années (jusqu'en 1949) sont relatées dans Under My Skin (1994), une autobiographie.

Le premier livre publié par Doris Lessing, The Grass Is Singing (1950), raconte l'histoire d'un fermier blanc, de sa femme et de leur domestique africain en Rhodésie. De nombreux critiques considèrent que sa série de romans sur Martha Quest - qui grandit également en Afrique du Sud et s'installe en Angleterre - est son œuvre la plus importante. Appelée Children of Violence, cette série comprend Martha Quest (1952), A Proper Marriage (1954), A Ripple from the Storm (1958), Landlocked (1965) et The Four-Gated City (1969).

Maître de la nouvelle, Doris Lessing a publié plusieurs recueils, dont Five (1953) et The Story of a Non-Marrying Man (1972) ; This Was the Old Chief's Country (1951) et The Sun Between Their Feet (1973) contiennent nombre de ses histoires africaines.

Doris Lessing s'est tournée vers la science-fiction dans une séquence de cinq romans intitulée Canopus in Argos : Archives (1979-83). Les romans The Diary of a Good Neighbour (1983) et If the Old Could... (1984) ont été publiés sous le pseudonyme de Jane Somers pour mettre en scène les problèmes des écrivains inconnus. Ses romans ultérieurs comprennent The Good Terrorist (1985), The Fifth Child (1988), Love, Again (1996) et Ben, in the World (2000). The Sweetest Dream (2001) est un roman semi-autobiographique dont l'action se déroule principalement à Londres, en Angleterre, dans les années 1960, tandis que le roman The Cleft (2007), qui ressemble à une parabole, s'intéresse aux origines de la société humaine.

Son recueil d'essais Time Bites (2004) témoigne de l'étendue de ses intérêts, des questions féminines à la politique en passant par le soufisme. Alfred and Emily (2008) est un mélange de fiction et de mémoires centré sur ses parents. Doris Lessing est décédée le 17 novembre 2013, à Londres.

Points forts

- Dans ses premières années d'adulte, Doris Lessing était une communiste active.
- En 1994, Lessing a publié le premier volume d'une autobiographie, Under My Skin ; un second volume, Walking in the Shade, est paru en 1997.
- Son premier livre publié, The Grass Is Singing (1950), raconte l'histoire d'un fermier blanc, de sa femme et de leur domestique africain en Rhodésie.
- Parmi ses œuvres les plus importantes figure la série Children of Violence (1952-1969), une série de cinq romans centrée sur Martha Quest, qui grandit en Afrique du Sud et s'installe en Angleterre.
- Doris Lessing a reçu le prix Nobel de littérature en 2007.

Questions de recherche

---

1. Si vous aviez une fille, une sœur ou une nièce, pensez-vous qu'elle rencontrerait des difficultés dans sa carrière en raison de son sexe ? Pourquoi/pourquoi pas ?
2. Quelle est votre œuvre écrite féminine indépendante et créative préférée de tous les temps et pourquoi ?
3. Quel écrivain féminin célèbre mérite le plus de crédit à votre avis ?

J. K. Rowling (née en 1965)

Auteur britannique qui a créé la série Harry Potter

"Vous commencez à penser que tout est possible si vous avez assez de courage."

J.K. Rowling a captivé l'imagination des enfants et des adultes avec sa série de livres à succès sur Harry Potter, un jeune sorcier en formation. Les livres ont été acclamés par la critique et ont connu une grande popularité. On leur attribue le mérite d'avoir suscité un nouvel intérêt pour la lecture chez les enfants, le public visé par les livres.

Joanne Rowling est née le 31 juillet 1965 à Yate, près de Bristol, en Angleterre. Elle a grandi à Chepstow, dans le Gwent, au Pays de Galles, où elle a écrit sa première histoire à l'âge de 6 ans. Après avoir obtenu son diplôme de l'université d'Exeter en 1986, Rowling a commencé à travailler pour Amnesty International à Londres. L'idée des histoires de Harry Potter lui est venue lors d'un voyage en train en 1990, et elle a commencé à écrire l'aventure magique en s'asseyant dans des cafés et des pubs.

Au début des années 1990, Rowling se rend au Portugal pour enseigner l'anglais comme langue étrangère, mais après un bref mariage et la naissance de sa fille, elle retourne au Royaume-Uni et s'installe à Édimbourg, en Écosse. Vivant de l'aide publique entre deux séjours en tant que professeur de français, elle a continué à écrire, souvent sur des bouts de papier et des serviettes de table.

Après avoir été rejeté par plusieurs éditeurs, le premier manuscrit de Rowling est acheté par Bloomsbury Children's Books en 1996. Harry Potter and the Philosopher's Stone (1997), connu aux États-Unis sous le titre Harry Potter and the Sorcerer's Stone, a connu un succès immédiat. Il a été publié sous le nom de J.K. Rowling. (Son éditeur lui a recommandé un nom de plume neutre ; elle a utilisé J.K., en ajoutant le deuxième prénom Kathleen).

Avec des descriptions vivantes et un scénario imaginatif, il suit les aventures du héros improbable Harry Potter, un orphelin solitaire qui découvre qu'il est en fait un sorcier et s'inscrit à l'école de sorcellerie Poudlard. Le livre a reçu de nombreux prix, dont le British Book Award. Les six tomes suivants - Harry Potter et la Chambre des Secrets (1998), Harry Potter et le Prisonnier d'Azkaban (1999), Harry Potter et la Coupe de Feu (2000), Harry Potter et l'Ordre du Phénix (2003), Harry Potter et le Prince de Sang-Mêlé (2005) et Harry Potter et les Reliques de la Mort (2007) - ont également été des best-sellers, disponibles dans plus de 200 pays et une soixantaine de langues.

Rowling a écrit les livres complémentaires Les animaux fantastiques et où les trouver et Le quidditch à travers les âges (tous deux en 2001) et Les contes de Beedle le Barde (2008), dont les recettes ont été reversées à des œuvres caritatives.

Le film basé sur le premier livre Harry Potter, sorti en novembre 2001, a battu des records de recettes au box-office pour son premier week-end au

Royaume-Uni et en Amérique du Nord. Une série de suites a suivi. Rowling a ensuite coécrit une histoire qui est devenue la base de la pièce de théâtre Harry Potter et l'enfant maudit, dont la première a eu lieu en 2016 et qui a été un succès critique et commercial. Une version livre du scénario, qui était annoncée comme la huitième histoire de la série Harry Potter, a été publiée en 2016.

Après avoir terminé la série Harry Potter, Rowling a commencé à écrire des fictions destinées aux adultes. En 2012, Rowling publie The Casual Vacancy, une satire sociale contemporaine qui se déroule dans une petite ville anglaise. L'année suivante, il a été révélé que l'auteur avait écrit le roman policier L'appel du coucou, sous le pseudonyme de Robert Galbraith. Le livre est centré sur le détective Cormoran Strike, un vétéran de guerre malchanceux. The Silkworm, le deuxième livre de la série, est sorti en 2014. Un troisième opus de la série, Career of Evil, a été publié l'année suivante.

Rowling a été nommée officier de l'Empire britannique en 2001. En 2009, elle a été nommée chevalier de la Légion d'honneur française.

Points forts

- Après avoir obtenu son diplôme de l'université d'Exeter en 1986, Rowling a commencé à travailler pour Amnesty International à Londres, où elle a commencé à écrire les aventures de Harry Potter.
- Le premier livre de la série Harry Potter, Harry Potter et l'école des sorciers (1997 ; également publié sous le titre Harry Potter et l'école des sorciers), a été publié sous le nom de J.K. Rowling.
- Une version livre du scénario, qui était annoncée comme la huitième histoire de la série Harry Potter, a été publiée en 2016.
- En mai 2020, pendant la pandémie de COVID-19, Rowling a commencé à publier en série un nouveau livre pour enfants, The Ickabog, gratuitement en ligne ; il a ensuite été publié en novembre.

Questions de recherche

---

1. Quels livres recommanderiez-vous ?
2. Comment pensez-vous que le monde moderne influence les artistes ?
3. Quels sont les films récents dont les actrices ont joué des rôles importants en tant que créatrices au centre (écrivains, peintres, musiciens...) ?

Margaret Atwood (née en 1939)

Écrivain canadien

"Une voix est un don de l'homme ; il faut la chérir et l'utiliser, pour prononcer des paroles aussi humaines que possible. L'impuissance et le silence vont de pair."

La poétesse, romancière et nouvelliste canadienne Margaret Atwood a été remarquée pour ses romans en prose. Elle a apporté une perspective féministe à la plupart de ses œuvres.

Margaret Eleanor Atwood est née le 18 novembre 1939 à Ottawa, Ontario, Canada. Pendant son enfance, elle vit à Toronto, mais passe beaucoup de temps dans les régions sauvages de l'extrême nord du Canada, peu peuplées, où son père entomologiste fait des recherches.

Margaret Atwood a commencé à écrire lorsqu'elle avait cinq ans et a repris ses efforts, plus sérieusement, une décennie plus tard. Après avoir terminé ses études universitaires au Victoria College de l'Université de Toronto, Margaret Atwood obtient une maîtrise en littérature anglaise au Radcliffe College du Massachusetts en 1962.

Margaret Atwood est peut-être plus connue pour ses romans, qui intègrent généralement l'inversion des rôles et les nouveaux départs. L'une de ses œuvres les plus populaires est The Handmaid's Tale (1985). Le livre est construit autour des traces écrites d'une femme vivant en esclavage sexuel dans une théocratie chrétienne répressive du futur qui a pris le pouvoir à la suite d'un bouleversement écologique. The Handmaid's Tale a fait l'objet d'un film en 1990 et d'un opéra en 2000. Atwood a coécrit une série télévisée basée sur le roman. Elle a été diffusée pour la première fois en 2017. The Blind Assassin (2000), qui a remporté le prestigieux Booker Prize en Grande-Bretagne, est également populaire. L'histoire se concentre sur les mémoires d'une femme canadienne âgée qui semble écrire pour se débarrasser de la confusion qui entoure à la fois le suicide de sa sœur et son propre rôle dans la publication posthume d'un roman censé avoir été écrit par sa sœur.

Parmi les autres romans de Margaret Atwood figurent le surréaliste The Edible Woman (1969), Surfacing (1972 ; film 1981), Lady Oracle (1976), Cat's Eye (1988) et The Robber Bride (1993 ; téléfilm 2007). Alias Grace (1996) est le récit romancé d'une jeune Canadienne réelle qui a été condamnée pour deux meurtres lors d'un procès à sensation en 1843.

Margaret Atwood et Sarah Polley ont écrit une mini-série télévisée basée sur le livre, qui a été diffusée en 2017. Le roman de 2005 d'Atwood, The Penelopiad : The Myth of Penelope and Odysseus, s'inspire de l'Odyssée d'Homère.

Margaret Atwood a également produit une trilogie dystopique. Dans Oryx and Crake (2003), elle décrit une apocalypse provoquée par une peste dans un futur proche à travers les observations et les flashbacks de l'unique survivant de l'événement. Dans L'année du déluge (2009), des personnages mineurs de ce livre racontent à nouveau le récit dystopique selon leur point de vue.

Margaret Atwood a poursuivi l'histoire avec MaddAddam (2013), le dernier roman de la trilogie. Elle a initialement publié le roman The Heart Goes Last (2015) sous forme de livre électronique en série en 2012-2013. Le livre imagine une Amérique dystopique dans laquelle un couple est contraint de rejoindre une communauté qui fonctionne comme une prison. Hag-Seed (2016) est une relecture de La Tempête de William Shakespeare.

Margaret Atwood a publié Les Testaments, une suite de The Handmaid's Tale, en 2019. Elle a partagé le Booker Prize pour The Testaments (avec Bernardine Evaristo pour Girl, Woman, Other), devenant seulement la quatrième personne à remporter le prix deux fois.

Les recueils de poésie de Margaret Atwood comprennent The Animals in That Country (1968), Two-Headed Poems (1978), Interlunar (1984), Morning in the Burned House (1995) et The Door (2007). Ses nouvelles apparaissent dans des volumes tels que Dancing Girls (1977), Bluebeard's Egg (1983), Wilderness Tips (1991), Moral Disorder (2006) et Stone Mattress (2014). Parmi les œuvres non romanesques d'Atwood, citons Negotiating with the Dead : A Writer on Writing (2002). Payback (2008 ; film 2012) est un essai sur la dette personnelle et gouvernementale. Dans l'ouvrage In Other Worlds : SF and the Human Imagination (2011), Atwood éclaire sa relation à la science-fiction.

Ses livres pour enfants comprennent Up in the Tree (1978), Princess Prunella and the Purple Peanut (1995), et Wandering Wenda and Widow Wallop's Wunderground Washery (2011).

Margaret Atwood a également écrit le livret de l'opéra Pauline - sur la poétesse canadienne amérindienne Pauline Johnson - qui a été créé au Canada en 2014.

En plus d'écrire, Margaret Atwood a enseigné la littérature anglaise dans plusieurs universités canadiennes et américaines. Margaret Atwood a reçu de nombreux prix et distinctions tout au long de sa carrière d'écrivain.

Points forts

- Dans les premiers recueils de poésie de Margaret Atwood, Double Persephone (1961), The Circle Game (1964, révisé en 1966) et The Animals in That Country (1968), Atwood réfléchit au comportement humain, célèbre le monde naturel et condamne le matérialisme.

- En 2019, The Testaments, une suite de The Handmaid's Tale, a été publié et acclamé par la critique, et a été cowinner (avec Girl, Woman, Other de Bernardine Evaristo) du Booker Prize.
- Parmi ses œuvres non romanesques, citons Negotiating with the Dead : A Writer on Writing (2002), issu d'une série de conférences qu'elle a données à l'université de Cambridge ; Payback (2008 ; film 2012), un essai passionné qui traite de la dette - tant personnelle que gouvernementale - comme une question culturelle plutôt que politique ou économique ; et In Other Worlds : SF and the Human Imagination (2011), dans lequel elle éclaire sa relation avec la science-fiction.
- Elle a remporté le prix PEN Pinter en 2016 pour l'esprit de militantisme politique qui traverse sa vie et son œuvre.

Questions de recherche

---

1. Quels sont les autres écrivains féminins célèbres que vous avez lus ou dont vous avez entendu parler, et dans quel genre écrivent-ils ?
2. Si vous pouviez rencontrer une artiste féminine, laquelle choisiriez-vous ? Pourquoi elle ?
3. Avez-vous lu des livres dont le protagoniste est une femme écrivain et/ou qui mettent l'accent sur les droits des femmes ? Si oui, que pensez-vous de ces questions ?

Agatha Christie (1890-1976)

Auteur de romans policiers et de pièces de théâtre anglais

"L'impossible n'a pas pu se produire, donc l'impossible doit être possible malgré les apparences."

La plupart des quelque 75 romans de la détective et dramaturge anglaise Agatha Christie sont devenus des best-sellers ; traduits en 100 langues, ils se sont vendus à plus de 100 millions d'exemplaires.

Christie est née Agatha Miller le 15 septembre 1890, dans le Devon, en Angleterre. La publication de son premier roman, The Mysterious Affair at Styles (1920), a fait découvrir au monde Hercule Poirot, l'un des noms les plus célèbres du roman policier. Son autre célèbre détective, Miss Jane

Marple, est apparu pour la première fois dans Meurtre au Vicariat (1930). Parmi ses pièces de théâtre, citons The Mousetrap (1952), qui a établi un record mondial pour la plus longue représentation continue dans un théâtre, et Witness for the Prosecution (1953 ; film, 1958).

Son mariage en 1914 avec le colonel Archibald Christie s'est soldé par un divorce en 1928. En 1930, Agatha Christie épouse l'archéologue Sir Max Mallowan. Christie a été créée Dame de l'Empire britannique en 1971. Agatha Christie est décédée à Wallingford dans l'Oxfordshire le 12 janvier 1976.

Points forts

- Agatha Christie, de son vrai nom Dame Agatha Mary Clarissa Christie, née Miller, a été éduquée à la maison par sa mère.
- Christie a commencé à écrire des romans policiers alors qu'elle travaillait comme infirmière pendant la Première Guerre mondiale. Son premier roman, The Mysterious Affair at Styles (1920), présente Hercule Poirot, son détective belge excentrique et égoïste ; Poirot réapparaît dans environ 25 romans et de nombreuses nouvelles avant de retourner à Styles, où il meurt dans Curtain (1975).
- La première grande reconnaissance de Christie est venue avec The Murder of Roger Ackroyd (1926), qui a été suivi de quelque 75 romans qui ont généralement figuré sur les listes des meilleures ventes et ont été publiés en série dans des magazines populaires en Angleterre et aux États-Unis.
- Parmi les autres adaptations cinématographiques notables, citons And Then There Were None (1939 ; film 1945), Murder on the Orient Express (1933 ; film 1974 et 2017), Death on the Nile (1937 ; film 1978) et The Mirror Crack'd From Side to Side (1952 ; film [The Mirror Crack'd] 1980).

Questions de recherche

---

1. Auriez-vous aimé voir davantage de son histoire dans les films et les jeux qui ont été réalisés sur sa vie et son travail ?
2. Outre l'écriture, quelles autres contributions culturelles pensez-vous qu'elle a apportées à la société, par exemple en tant qu'artiste ?
3. Si vous étiez échoué sur une île déserte, quelle femme voudriez-vous avoir à vos côtés ?

Alexandra Danilova (1903-1997)

Ballerine russe connue pour sa vivacité et son sens du théâtre.

La danseuse étoile russe Alexandra Danilova a apporté au ballet américain la formation et les traditions des répertoires russe classique et moderne de Sergei Diaghilev. Son charme et sa polyvalence ont fait d'elle l'une des danseuses les plus célèbres des années 1930 et 1940. Après avoir pris sa retraite en tant que danseuse, Danilova est devenue une enseignante influente et a également mis en scène des ballets.

Alexandra Dionisyevna Danilova est née le 20 novembre 1903 à Peterhof (aujourd'hui Petrodvorets), en Russie. Elle a fréquenté l'école de ballet impériale (puis d'État) de Petrograd (aujourd'hui Saint-Pétersbourg), où elle a étudié sous la direction d'Agrippina Vaganova.

Alexandra Danilova est entrée dans le corps de ballet du Ballet d'État soviétique et est devenue soliste au Ballet Mariinsky (Kirov) en 1922-23. En 1924, elle se rend en Europe occidentale avec un petit ensemble de ballet dirigé par George Balanchine. L'ensemble du groupe rejoint les

Ballets russes de Diaghilev et ne reviendra jamais en Russie. Alexandra Danilova s'est rapidement fait connaître au sein de la compagnie de Diaghilev, créant des rôles principaux dans Apollon Musagète, La Pastorale et Le Triomphe de Neptune.

Après la mort de Diaghilev en 1929, Danilova rejoignit le Ballet de l'Opéra de Monte Carlo, et en 1931-32, elle joua dans l'opérette Valses de Vienne à Londres. En 1933, elle rejoint le Ballet Russe de Monte-Carlo du colonel Wassily de Basil, et la même année, elle fait ses débuts aux États-Unis et effectue de nombreuses tournées dans ce pays.

En 1938, Alexandra Danilova quitte la compagnie de Basil pour devenir la première ballerine du Ballet Russe de Monte Carlo de Léonide Massine et Serge Denham, où elle danse souvent avec Frederic Franklin. Alexandra Danilova s'est produite en tant qu'artiste invitée auprès de plusieurs compagnies de ballet, dont le Sadler's Wells Ballet.

Avec sa propre compagnie, Alexandra Danilova fit une tournée aux États-Unis, au Canada, au Japon, aux Philippines et en Afrique du Sud de 1954 à 1956. Elle s'est fait remarquer à la fois pour son vaste répertoire, allant des rôles romantiques aux rôles abstraits de Balanchine, et pour l'individualité de ses interprétations, notamment la danseuse de rue dans Le Beau Danube, la vendeuse de gants dans Gaîté Parisienne, Odette dans Le Lac des cygnes et Swanilda dans Coppélia.

Après sa retraite des spectacles en 1957, Danilova enseigne, fait des tournées de conférences et apparaît dans des comédies musicales, dont Oh Captain ! (1958). Danilova a joué un petit mais important rôle dans le film The Turning Point (1977). En tant que membre du corps enseignant de la School of American Ballet de 1964 à 1989, elle a défendu les traditions du ballet classique, aidant à les intégrer dans les nouveaux styles de ballet en cours de développement.

Alexandra Danilova a mis en scène des extraits de ballets classiques pour les ateliers annuels de l'école et a monté, avec Balanchine, l'intégralité de Coppélia pour le New York City Ballet en 1974-75. Danilova a également mis en scène des ballets pour d'autres compagnies, notamment le Metropolitan Opera et la Scala de Milan. Elle est décédée le 13 juillet 1997 à New York.

Points forts

- Alexandra Danilova a fréquenté les écoles de ballet impériales et soviétiques de Leningrad, où elle a étudié sous la direction d'Agrippina Vaganova et est devenue soliste au théâtre Mariinsky (anciennement Kirov).
- Danilova a été invitée par plusieurs compagnies de ballet, dont le Sadler's Wells Ballet, et a effectué avec sa propre compagnie (Great Moments of Ballet, 1954-56) une tournée au Japon, aux Philippines et en Afrique du Sud.
- Alexandra Danilova a été remarquée à la fois pour son vaste répertoire, allant des rôles romantiques aux rôles abstraits de Balanchine, et pour l'individualité de ses interprétations, notamment la danseuse de rue dans Le Beau Danube, la vendeuse de gants dans Gaîté Parisienne, Odette dans Le Lac des cygnes et Swanilda dans Coppélia.
- Elle apparaît également dans des comédies musicales (Oh Captain !, 1958), enseigne et fait des tournées de conférences.
- Alexandra Danilova a joué un petit mais important rôle dans le film The Turning Point (1977).

Questions de recherche

---

1. Quelles sont vos chorégraphes et danseuses préférées ?
2. Qu'est-ce que cela signifie d'être une femme dans le domaine de la danse, en 2021 ?
3. Quelle est la chose la plus difficile dans le métier de danseur ?
4. Combien de temps pensez-vous qu'il faille pour apprendre l'art de la danse, en particulier le ballet ?

Misty Copeland (née en 1982)

Première danseuse afro-américaine à devenir première ballerine à l'American Ballet Theatre.

"Savoir que cela n'a jamais été fait auparavant me donne envie de me battre encore plus fort."

Misty Copeland est devenue en 2015 la première danseuse principale afro-américaine de l'American Ballet Theatre (ABT). Son histoire inspirante a fait d'elle un modèle pour d'innombrables jeunes.

Misty Copeland est née le 10 septembre 1982 à Kansas City, dans le Missouri. Lorsqu'elle était jeune, elle a déménagé avec sa mère et ses frères et sœurs à San Pedro, en Californie. Là, elle rejoint l'équipe d'entraînement de son collège. L'entraîneur de l'équipe a remarqué son talent et lui a recommandé de suivre les cours de danse classique donnés par Cynthia Bradley au Boys & Girls Club local. Bradley a rapidement reconnu les capacités naturelles de Copeland, et Misty Copeland a commencé à prendre des cours avec Bradley à l'école de ballet de San Pedro.

Lorsque son entraînement devient plus intensif, Misty Copeland emménage chez Bradley et sa famille afin de se rapprocher du studio. En 1998, à l'âge de 15 ans, Misty Copeland remporte le premier prix dans la catégorie ballet des Spotlight Awards du Music Center de Los Angeles. Cet été-là, Copeland a été acceptée avec une bourse complète dans le programme intensif d'été du San Francisco Ballet.

En 1998, une bataille pour la garde des enfants s'engage entre les Bradley et la mère de Copeland. Misty Copeland revient vivre avec sa famille et commence à fréquenter le lycée de San Pedro. Elle continue à étudier le ballet au Lauridsen Ballet Centre de Torrance, en Californie.

En 2000, Misty Copeland a obtenu une autre bourse complète, cette fois pour le programme d'été de l'ABT. Cette année-là, elle a également été nommée boursière nationale Coca-Cola de l'ABT. À la fin de l'été, Misty Copeland a été invitée à rejoindre la compagnie studio de l'ABT, un programme sélectif destiné aux jeunes danseurs encore en formation. En 2001, elle est devenue membre de la compagnie de ballet de l'ABT, la seule femme afro-américaine dans un groupe de 80 danseurs.

En 2007, Misty Copeland est devenue la première soliste féminine afro-américaine de la compagnie en deux décennies (Anne Benna Sims et Nora Kimball l'avaient précédée). Copeland a tenu des rôles notables dans L'Oiseau de feu (2012), Le Corsaire (2013), Coppélia (2014) et Le Lac des cygnes (2014). En 2015, l'ABT l'a choisie pour être la première danseuse principale noire dans les 75 ans d'histoire de la compagnie.

Forte du succès de son ballet, Misty Copeland commence à se produire dans d'autres lieux. En 2015, elle a fait ses débuts à Broadway dans la comédie musicale On the Town de Leonard Bernstein. En 2018, elle a fait ses débuts au cinéma en jouant la princesse ballerine dans Casse-Noisette et les Quatre Royaumes, une adaptation du ballet de Pyotr Illyich Tchaïkovski du XIXe siècle.

Misty Copeland remplit également son temps avec diverses autres activités. En 2009, elle est apparue dans un clip pour la chanson "Crimson and Clover" de Prince. Elle s'est produite en concert avec lui lors de sa tournée l'année suivante. Misty Copeland est devenue un fervent défenseur de la diversification du domaine du ballet et de l'accès des danseurs de différentes origines raciales et économiques.

Misty Copeland a siégé au comité consultatif du programme de l'ABT offrant une formation et un encadrement aux professeurs de danse dans les communautés raciales diverses du pays ainsi que dans les Boys & Girls Clubs. Au fur et à mesure que sa popularité grandit, Copeland commence à endosser des produits. Elle a publié ses mémoires, Life in Motion : An Unlikely Ballerina en 2014.

Points forts

- L'histoire inspirante de Misty Copeland a fait d'elle un modèle et une icône pop.
- Copeland est devenu un fervent défenseur de la diversification du domaine du ballet et de l'accès des danseurs de différentes origines raciales et économiques.
- Misty Copeland a fait partie du comité consultatif du Project Plié de l'ABT, un programme (lancé en 2013) offrant une formation et un mentorat aux professeurs de danse dans les communautés raciales diverses du pays ainsi que dans les Boys & Girls Clubs.
- Elle a publié les mémoires Life in Motion : An Unlikely Ballerina (2014) et a eu des parrainages avec des entreprises telles que Coach (accessoires en cuir) et Under Armour (vêtements de sport).
- En août de la même année, Copeland fait ses débuts à Broadway dans le rôle d'Ivy Smith dans la comédie musicale On the Town de Leonard Bernstein.

Questions de recherche

---

1. Quels sont les aspects positifs du métier de danseur ?

2. Si vous pouviez changer une chose sur la danse, quelle serait-elle et pourquoi ?
3. Avez-vous des chorégraphes ou des stars préférés qui vous inspirent pour faire connaître votre art aux autres et essayer de nouvelles choses en termes de créativité ?

Joséphine Baker (1906 - 1975)

Danseuse française d'origine américaine, célèbre pour ses performances théâtrales.

"Tu dois recevoir une éducation. Vous devez aller à l'école, et vous devez apprendre à vous protéger. Et vous devez apprendre à vous protéger avec le stylo, et pas avec le pistolet."

Personnalité vibrante qui vivait sa vie avec autant de passion qu'elle se produisait sur scène, Joséphine Baker, première diva de la danse populaire moderne dont les productions débordaient de sexualité et d'exubérance physique comme jamais auparavant, a captivé les publics européens dans les années 1920 et 1930 et a incité des générations d'interprètes à se rendre en Europe.

Freda Josephine est née dans un ghetto de St. Louis, Missouri, le 3 juin 1906, de Carrie McDonald et Eddie Carson. Ses parents ne sont pas mariés et son père, un musicien local, abandonne rapidement la famille. Josephine et sa famille vivaient dans une extrême pauvreté, et elle a quitté l'école à l'âge de 8 ans pour travailler pour gagner sa vie.

Avant d'avoir 14 ans, Joséphine avait quitté le foyer familial et s'était mariée avec son premier mari, Willie Wells. Cette union impulsive prend rapidement fin lorsqu'elle rejoint un spectacle de vaudeville itinérant. L'occupation s'avère plus rigoureuse que glamour, mais Joséphine profite de travailler avec des artistes expérimentés pour développer ses talents de danseuse.

En 1921, la troupe atteint Philadelphie, en Pennsylvanie, où Joséphine rencontre et épouse son second mari, William Howard Baker. Joséphine Baker a 15 ans.

En 1925, Baker jouait dans diverses productions théâtrales à New York lorsqu'elle a rejoint la troupe noire de la Revue Nègre qui devait se produire à Paris, en France. La Revue Nègre débute le 2 octobre 1925 au Théâtre des Champs-Elysées. Le numéro de danse exotique de Baker, à moitié nu, électrise le public français qui ne se doute de rien.

Joséphine Baker devient rapidement la coqueluche de Paris, et ses spectacles - caractérisés par des costumes révélateurs, une danse désinhibée et des chansons de jazz sulfureuses - sont régulièrement présentés dans des boîtes de nuit réputées comme les Folies-Bergère et le Casino de Paris, plus huppé. Des artistes et des écrivains tels que Pablo Picasso, Langston Hughes et Ernest Hemingway ont loué sa beauté, sa grâce et son magnétisme physique.

Pour de nombreux spectateurs, Joséphine Baker (surnommée la "Vénus noire") et ses performances osées symbolisent ce que les Européens perçoivent comme le primitivisme exotique de l'Afrique.

Dans le sillage de son succès initial, Joséphine Baker tourne plusieurs films en France et entame peu après une longue tournée en Europe et en Amérique du Sud. Sa renommée s'étend dans le monde entier, mais elle souhaite étendre son champ d'action au-delà de la danse exotique, et elle travaille sans relâche pour perfectionner ses talents de chanteuse et de danseuse.

Le début des années 1930 s'avère être parmi ses années les plus productives. Son chant s'améliore de façon spectaculaire et Josephine Baker sort une douzaine de disques entre 1931 et 1935. Baker apparaît également dans les films ZouZou (1934) et Princesse Tam-Tam (1935), salués par la critique.

Joséphine Baker perfectionne sans cesse son jeu de scène et finit par se produire en solo dans ses propres spectacles. Bien que ses apparitions sur scène et en public se distinguent toujours par les costumes élaborés et le comportement scandaleux qui caractérisent ses spectacles dans les années 1920, Baker gagne néanmoins le respect de la communauté artistique européenne et devient une véritable icône culturelle française.

Joséphine Baker rentre aux États-Unis en 1935. Malgré sa renommée à l'étranger, elle n'a pas réussi à obtenir le même type d'adulation critique et publique dans son pays natal, marqué par la ségrégation raciale. Contrairement à de nombreux artistes noirs de son âge, Baker refuse de subir l'indignité de la ségrégation en silence, et son franc-parler la rend plus controversée que populaire. Bien qu'elle se soit rendue à plusieurs reprises aux États-Unis au cours de sa carrière, Baker n'a jamais sérieusement envisagé d'y retourner définitivement.

Joséphine Baker ne souffre pas du même niveau de discrimination raciale et de préjugés en France, et lorsqu'elle épouse un Français prospère en 1937 (ils divorcent en 1942), elle devient volontiers citoyenne française. Au début de la Seconde Guerre mondiale, Baker, dont le statut d'artiste lui donne plus de liberté que la plupart des gens pour voyager en Europe, sert son nouveau pays en tant qu'espionne pour la Résistance française.

Joséphine Baker s'est installée au Maroc pendant l'occupation allemande et a souvent diverti les troupes alliées en Afrique du Nord. Après la guerre, elle a reçu la médaille de la Résistance et la Légion d'honneur en reconnaissance de ses efforts de guerre patriotiques.

Josephine Baker a continué à se produire après la guerre, mais elle s'est également engagée de plus en plus dans des activités humanitaires. Elle a travaillé comme militante des droits civiques en Europe et aux États-Unis.

Elle a créé un domaine aux Milandes, son château du 15e siècle, dans l'intention de créer une communauté idéale pour les enfants de différentes ethnies.

Joséphine Baker épouse le chef d'orchestre Jo Bouillon en 1947, et le couple effectue des tournées aux États-Unis en 1948 et en 1951. Au cours de ces tournées, Baker attire beaucoup l'attention du public pour ses prises de position contre la ségrégation. Elle refuse de se produire dans des lieux où règne la ségrégation, mais elle réussit à imposer l'intégration de plusieurs théâtres et boîtes de nuit.

Entre 1954 et 1965, Joséphine Baker a adopté 12 enfants d'origines ethniques et de nationalités différentes. En 1956, elle se retire du monde du spectacle pour s'occuper de sa progéniture grandissante, mais elle est obligée de revenir en 1959 pour maintenir son patrimoine financier. En plus de son travail et de sa famille, elle reste active dans le mouvement des droits civiques, retournant aux États-Unis pour prendre la parole lors de la Marche sur Washington de 1963 et pour donner de nombreux spectacles de bienfaisance.

Les dernières années de Josephine Baker ont été marquées par des difficultés financières et une mauvaise santé. Elle subit sa première crise cardiaque lors d'un spectacle au Danemark en 1964. En 1969, Les Milandes ont été saisies pour rembourser ses dettes, et la vente ultérieure du château et de son mobilier a rapporté très peu d'argent.

Pour subvenir aux besoins de sa famille, Joséphine Baker fait un come-back en 1973 qui culmine avec une apparition très réussie au Carnegie Hall de New York. Plus tard dans l'année, alors qu'elle se produit au Danemark, elle est victime de sa deuxième crise cardiaque et de sa première attaque.

En avril 1975, Joséphine Baker revient à Paris pour la première de "Joséphine", une production théâtrale basée sur sa vie. Le lendemain de sa participation à une célébration en l'honneur du 50e anniversaire de ses débuts parisiens, elle est victime d'une hémorragie cérébrale massive et meurt sans avoir repris connaissance le 12 avril 1975.

Ses funérailles nationales télévisées ont attiré 20 000 personnes. Joséphine Baker est la seule Américaine à recevoir un salut officiel de vingt et un coups de canon de la part du gouvernement français. Après les funérailles publiques à Paris, Baker est enterrée dans un cimetière de Monaco.

Points forts

- Entre l'âge de 8 et 10 ans, Joséphine Baker n'est pas scolarisée et aide à subvenir aux besoins de sa famille. Enfant, Baker développe un goût pour le flamboyant qui la rendra célèbre par la suite.
- En 1923, Baker rejoint le chœur d'une compagnie itinérante qui présente la comédie musicale Shuffle Along, puis s'installe à New York, où elle progresse régulièrement dans le spectacle Chocolate Dandies à Broadway et dans le spectacle au sol du Plantation Club.
- En 1925, Baker se rend à Paris pour danser au Théâtre des Champs-Élysées dans La Revue Nègre et fait découvrir sa danse sauvage à la France.
- Joséphine Baker a chanté professionnellement pour la première fois en 1930, a fait ses débuts à l'écran en tant que chanteuse quatre ans plus tard dans Zouzou, et a tourné plusieurs autres films avant que la Seconde Guerre mondiale ne mette un frein à sa carrière.
- Sa vie a été mise en scène dans le téléfilm The Josephine Baker Story (1991) et dans le documentaire Joséphine Baker.

Questions de recherche

---

1. Dansez-vous souvent pour le plaisir ou pas du tout - et pourquoi ?
2. Quelle est votre chanson ou chorégraphie préférée d'une célèbre danseuse ?
3. Quels sont les avantages de regarder des spectacles de danse ?
4. Y a-t-il un livre que vous avez lu et qui vous a donné envie d'en savoir plus sur la danse ?

Livres

Nos livres sont disponibles chez tous les principaux détaillants de livres en ligne. Découvrez les packs numériques (bundle) de nos livres ici : https://payhip.com/studentPressBooksFR

La série de livres sur l'Histoire des Noirs.

Bienvenue dans la série de livres sur l'Histoire des Noirs. Découvrez des personnalités Noires exemplaires grâce à ces biographies inspirantes de pionniers d'Amérique, d'Afrique et d'Europe. Nous savons tous que l'Histoire des Noirs est importante, mais il peut être difficile de trouver de bonnes ressources.

Beaucoup d'entre nous connaissent personnages principaux de la culture populaire et des livres d'Histoire, mais nos livres présentent également des héros et héroïnes Noirs moins connus du monde entier, mais dont les histoires méritent d'être racontées. Ces livres de biographies vous aideront à mieux comprendre comment les souffrances et les actions de ces personnes ont façonné leurs pays respectifs et leurs communautés, pour les générations à venir.

Titres disponibles :

1. 21 personnalités noires inspirantes : La vie de personnages historiques du XXe siècle : Martin Luther King Jr., Malcom X, Bob Marley et autres
2. 21 femmes noires exceptionnelles : L'histoire de femmes noires importantes du XXe siècle : Daisy Bates, Maya Angelou et bien d'autres

La série de livres Émancipation des femmes.

Bienvenue dans la série de livres Émancipation des femmes. Découvrez des figures féminines courageuses des temps modernes grâce à ces biographies inspirantes de pionnières du monde entier. L'émancipation des femmes est un sujet important qui mérite plus d'attention qu'il n'en reçoit. Pendant des siècles, on a dit aux femmes que leur place était à la maison, mais cela n'a jamais été vrai pour toutes les femmes, ni même pour la plupart d'entre elles.

Les femmes sont encore sous-représentées dans les livres d'histoire, et celles qui s'y font une place doivent généralement se contenter de quelques pages. Pourtant, l'Histoire regorge de récits de femmes fortes, intelligentes et indépendantes qui ont surmonté des obstacles et changé le cours des choses simplement parce qu'elles voulaient vivre leur propre vie.

Ces livres biographiques vous inspireront tout en vous donnant de précieuses leçons sur la persévérance et le dépassement face à l'adversité ! Apprenez de ces exemples que tout est possible si vous y mettez du vôtre !

Titres disponibles :

1. 21 Femmes d'exception : La vie de combattantes pour la liberté qui ont repoussé les frontières : Angela Davis, Marie Curie, Jane Goodall et bien d'autres
2. 21 femmes inspirantes : la vie de femmes courageuses et influentes du XXe siècle : Kamala Harris, Mère Teresa et bien d'autres
3. 21 femmes extraordinaires : Les vies exemplaires des femmes artistes et créatrices du XXe siècle : Madonna, Yayoi Kusama et bien d'autres
4. 21 femmes de génie : Les vies déterminantes de femmes scientifiques pionnières au XXe siècle

La série de livres Les dirigeants du monde.

Bienvenue dans la série de livres sur les dirigeants du monde. Découvrez des personnages royaux et présidentiels, emblématiques du Royaume-Uni, des États-Unis et d'autres pays. Grâce à ces biographies inspirantes de membres de la famille royale, de présidents et de chefs d'État, vous apprendrez à connaître les personnes courageuses qui ont osé prendre le pouvoir, avec notamment leurs citations, leurs photos et des faits rares.

Les gens sont fascinés par l'histoire et la politique et par ceux qui les ont écrites. Ces livres offrent des perspectives nouvelles sur la vie de personnalités remarquables. Cette série est parfaite pour tous ceux qui veulent en savoir plus sur les grands dirigeants de notre monde ; les jeunes lecteurs ambitieux et les adultes qui aiment se documenter sur des personnages importants.

Titres disponibles :

1. Les 11 familles royales britanniques : La biographie de la famille de la Maison Windsor : La Reine Elizabeth II et le Prince Philip, Harry et Meghan et bien d'autres
2. Les 46 présidents des États-Unis : Leur histoire, leur réussite et leur héritage : de George Washington à Joe Biden
3. Les 46 présidents des États-Unis : Leur histoire, leur réussite et leur héritage — Édition augmentée : de George Washington à Joe Biden

La série de livres Une mythologie passionnante.

Bienvenue dans la série de livres Une mythologie passionnante. Découvrez les dieux et déesses d'Égypte et de Grèce, les divinités nordiques et d'autres créatures mythologiques.

Qui sont ces anciens dieux et déesses ? Que savons-nous d'eux ? Qui étaient-ils vraiment ? Pourquoi les gens les vénéraient-ils dans les temps anciens, et d'où venaient-ils ?

Ces livres offrent des perspectives nouvelles sur les dieux anciens, qui inviteront les lecteurs à réfléchir à leur place dans la société et à s'intéresser plus encore à l'Histoire. Ces livres sur la mythologie abordent également des sujets qui l'ont influencée, tels que la religion, la littérature et l'art, dans un format attrayant avec des photos ou des illustrations accrocheuses.

Titres disponibles :

1. L'Égypte ancienne : Un guide des mystérieux dieux et déesses de l'Égypte ancienne : Amon-Râ, Osiris, Anubis, Horus et bien d'autres
2. La Grèce antique : Un guide des dieux, déesses, divinités, titans et héros de la Grèce classique : Zeus, Poséidon, Apollon et plus encore
3. Anciens contes nordiques : Découvrez les dieux, déesses et géants de la mythologie des Vikings : Odin, Loki, Thor, Freya et plus encore

La série de livres Les grandes théories expliquées.

Bienvenue dans la série de livres **Les grandes théories expliquées**. Découvrez la philosophie, les idées des anciens philosophes et d'autres théories intéressantes. Ces livres réunissent les biographies et les idées des philosophes les plus célèbres de régions telles que la Grèce et la Chine antiques.

La philosophie est un sujet complexe, et de nombreuses personnes ont du mal à en comprendre ne serait ce que les bases. Ces livres sont conçus pour vous aider à en savoir plus sur la philosophie, ils sont uniques en raison de leur approche simple. Il n'a jamais été aussi facile et amusant d'acquérir une meilleure compréhension de la philosophie qu'avec ces livres. En outre, chaque livre comprend des questions afin que vous puissiez approfondir vos propres pensées et opinions !

Titres disponibles :

1. Philosophie grecque : La vie et les idées des philosophes de la Grèce antique : Socrate, Platon, Pythagore et bien d'autres
2. Éthique et morale : Philosophie morale, bioéthique, défis médicaux et autres idées éthiques

La série de livres Inspiration des futurs entrepreneurs.

Bienvenue dans la série de livres **Inspiration des futurs entrepreneurs**. Il n'est jamais trop tôt pour que les jeunes ambitieux commencent leur carrière ! Que vous ayez l'esprit d'entreprise et que vous cherchiez à bâtir votre propre empire, ou que vous soyez un entrepreneur en herbe qui commence à emprunter une route longue et ardue, ces livres vous inspireront grâce aux histoires d'hommes d'affaires qui ont réussi.

Découvrez leurs vies, leurs échecs et leurs réussites qui vous donneront envie de prendre le contrôle de votre existence au lieu de simplement la regarder passer !

Titres disponibles :

1. 21 entrepreneurs à succès : La vie des grands fondateurs du XXe siècle : Elon Musk, Steve Jobs et bien d'autres
2. 21 entrepreneurs révolutionnaires : Les vies incroyables des hommes d'affaires du XIXe siècle : Henry Ford, Thomas Edison et bien d'autres

La série de livres L'Histoire facile.

Bienvenue dans la série de livres L'Histoire facile. Explorez divers sujets historiques, de l'âge de pierre jusqu'à l'époque moderne, ainsi que les idées et les personnages marquants qui ont traversé les âges.

Ces livres sont un excellent moyen d'éveiller votre intérêt pour l'histoire. Les manuels scolaires, secs et ennuyeux, rebutent souvent les lecteurs, car ils aiment les histoires de gens ordinaires qui ont changé le monde. Ces livres vous donnent l'opportunité de les découvrir tout en vous fournissant les informations historiques importantes.

Titres disponibles :

1. La Première Guerre mondiale : La Première Guerre mondiale, ses grandes batailles, les personnages et les forces en présence
2. La Deuxième Guerre mondiale : L'Histoire de la Seconde Guerre mondiale, Hitler, Mussolini, Churchill et autres personnages clés

3. L'Holocauste : Les Nazis, la montée de l'antisémitisme, la Nuit de Cristal et les camps de concentration d'Auschwitz et de Bergen-Belsen.
4. La Révolution française : L'Ancien Régime, Napoléon Bonaparte, la Révolution française, les guerres napoléoniennes et de Vendée

Conclusion

Nous espérons que vous avez apprécié cette collection de 21 artistes féminines impressionnantes.

Ce livre met en lumière la vie de nombreuses femmes, jeunes et moins jeunes, qui ont changé leur univers et nos points de vue sur ce que signifie d'être créatif dans un XXe siècle dominé par les hommes.

J'espère que vous avez également appris beaucoup de choses grâce à ce livre !

Relisez-le souvent !

Avez-vous aimé cette lecture éducative ? Qu'en avez-vous pensé ? Faites-le-nous savoir avec un beau commentaire sur ce livre !

Nous en serions ravis, alors n'oubliez pas d'en laisser un !

Lightning Source UK Ltd.
Milton Keynes UK
UKHW020638060122
396716UK00012B/1075